ediciones
SerreS

Esta obra ha sido editada con ayuda
de la Dirección General del Libro,
Archivos y Bibliotecas del Ministerio
de Cultura

Título original
Què li passa a aquest nen?
Traducción de Mari Paz Ortuño

Texto
© 2005 Àngels Ponce

Ilustraciones
© 2005 Miguel Gallardo

Diseño gráfico
Pilar Gorriz, Manel Font

**Primera edición en lengua castellana para
todo el mundo**
© 2005 Ediciones Serres, S. L.
Muntaner, 391 – 08021 – Barcelona
www.edicioneserres.com

ISBN: 84-8488-203-9

Impreso en Barcelona por Sagrafic, S. L.
D. L.: B-14.812-2005

Àngels Ponce Ilustraciones de Miguel Gallardo

¿Qué le pasa a este niño?

Una guía para conocer a los niños con discapacidad

ediciones
SerreS

Y lo que vale es el esfuerzo de todos los días
compartido tenazmente con los que creen
que con cada gesto aumenta la esperanza,
que ningún día se pierde para los que luchan.
Miquel Martí i Pol

A todos los niños con discapacidad,
ellos son los que luchan todos los días.
A sus padres, que los acompañan.
A sus hermanos, que preguntan.

A mi hijo Janko.
A Brian, mi amor.
Àngels

Para María, mi hija,
princesa de un reino perdido.
Miguel

Agradecimientos

En primer lugar, queremos darles las gracias a los padres y madres del grupo "Pare a Pare" de la Federació Catalana Pro Persones amb Retard Mental (APPS), autores de "No estàs sol", ellos son Mercè, Dolors, Jordi, Mai, Francesc, Marga, Anna, Nieves, Montse, Viki, Santi, Nuria, Susana… Por su ilusión, por su ayuda, por su interés y por su fuerza… y también a May Suárez, que nos dio el título.

A los niños y niñas que participaron en el "1r Taller per a Germans" organizado por la APPS: Blanka, Laia, Sergi, Elisa, Natalia y Pau, por haber compartido con nosotros la vivencia de tener un hermano con discapacidad.

Gracias a las personas que, con sus conocimientos y su experiencia, nos han aportado ideas: a Carme Gordillo, que por su proximidad ha contestado pacientemente todas nuestras preguntas (que no han sido pocas), además de revisar el resultado final; a Francesc Mascaró, y a Susi Cordón…

A Cècile de Vissher que, como siempre, ha puesto el acento en la parte más humana que conlleva el trabajo con las familias.

A Josep Font, director del Centre de Pedagogía Terapèutica L'Estel, y profesor de la Universidad de Vic, que se ha hecho cargo de la revisión técnica.

A Roser Estrada, a Jordi Costa, a Elisenda Pucurull y a Lali Ullastres, que han leído el texto desde el punto de vista más crítico: el de la familia.

A Estela y Gabi, por su interés y ayuda siempre presente.

A Brian Wehrle, que ha puesto los medios técnicos necesarios para que fuera posible escribir el texto… Por su paciencia, su apoyo y su calidez que han ido creciendo a lo largo del tiempo.

A Pilar Gorriz y a Manel Font, que han hecho algo más que casar el texto y los dibujos…

Finalmente, a Poppy Grijalbo, nuestra editora, por creer en la importancia de ayudar a entender la discapacidad, y por hacer realidad este proyecto.

A todos ellos, ¡¡¡muchas gracias!!!

Introducción

¿QUÉ LE PASA A ESTE NIÑO?

...es lo que habitualmente preguntan los niños y niñas cuando ven por primera vez a otro niño con discapacidad por la calle, en el parque, en casa de algún amigo... Es debido a esto, que este libro se titula de este modo; porque este ha sido nuestro punto de partida... lo que queremos responder. Alguien puede opinar que es un título un poco fuerte, indiscreto... pero lo hemos escogido justamente porque es el lenguaje que los niños utilizan, y es a ellos a quién nos dirigimos.

Si bien ésta es la primera pregunta que hacen en voz alta, después pueden venir otras:

"¿Por qué no se le entiende cuando habla?"
"¿Dónde está el síndrome de Down que dicen que tiene?"
"Si está enfermo ¿por qué no le das jarabe para que se cure?"
"¿Algún día aprenderá a caminar?"

Realmente son preguntas difíciles de responder y muchas veces no sabemos a dónde recurrir para encontrar la respuesta.

Es una realidad que hay niños con discapacidad en el mundo... Pero, ¿por qué? No podemos responder a esta pregunta, simplemente porque no sabemos los motivos (y a veces ésta es la única respuesta que podemos dar), pero lo que sí podemos hacer es dar más información sobre el tema.

El motivo principal por el que hemos escrito este libro es explicar la discapacidad en los niños, y hemos querido hacerlo desde la idea de la DIVERSIDAD: "lo normal es ser diferente". Y hacerlo de manera nítida: explicando las cosas tal como son, con los aspectos positivos (las capacidades) y los negativos (las limitaciones) que implica tener una discapacidad.

También hemos querido animar a nuestros lectores a no mirar a los niños con discapacidad desde un punto de vista oscuro, triste... Primero porque los autores no lo vivimos así y, después, porque no es así.
Los niños con discapacidad y sus familias se levantan todas las mañanas, ríen, juegan, celebran aniversarios, se enfadan o se ponen tristes como todo el mundo. Se puede vivir con una discapacidad y ser feliz si a tu alrededor hay gente que te quiere y te respeta porque eres como eres.

Esperamos que sirva también para acortar las distancias entre los que ven la discapacidad como algo fuera de la normalidad y los que luchan cada día para que forme parte de ella.

Creemos que dando información a los niños, les damos la oportunidad de no ver la discapacidad como un "problema" sino como algo que está ahí, que forma parte de la persona y que esta persona es mucho más que esa dificultad.

Este libro es, pues, una guía sobre la discapacidad. Una guía básica, si queréis, porque si bien hemos intentado que contenga la información básica, hemos huido del lenguaje técnico y no hemos querido ofrecer una guía demasiado exhaustiva. Así que, probablemente no lo encontraréis todo aquí, y tendréis que recurrir a material más especializado. De hecho, hemos incluido direcciones de internet para que, si queréis, podáis profundizar en alguno de los temas. Lo que sí esperamos que encontraréis aquí son las respuestas a las preguntas más usuales.

Pero atención, este libro no está dirigido sólo a los niños. Está pensado también para que sirva de ayuda a los padres que tienen que contestar tantas preguntas y no saben por dónde empezar. Al final de cada tema os proponemos un conjunto de ejercicios y reflexiones que creemos que os serán de utilidad. Podéis leer cada capítulo de manera independiente según lo que os interese más.

Sobre todo, nos gustaría llegar a los niños y niñas que tienen hermanos o hermanas con discapacidad. Ellos son los que más preguntas hacen. Ojalá que este libro les dé algunas respuestas (el resto será labor de los padres).

Creemos también que este libro puede ser útil a maestros y maestras porque, además de dar información clara sobre la discapacidad, puede ayudar a trabajar valores como la diferencia, la tolerancia, el respeto y, cómo no, a potenciar una visión total de una realidad en la que los discapacitados tienen cabida.

Finalmente, a los autores nos gustaría conocer vuestra opinión, saber si este libro os ha sido de utilidad, si habéis encontrado las respuestas que buscabais, y, también si habéis detectado cosas que faltan. Y, sobre todo, nos encantaría saber qué les ha parecido a los niños, pues lo hemos escrito pensando en ellos. Explicadnos qué habéis aprendido, si os pasa lo mismo que a los otros niños que aparecen en los dibujos (o lo veis de manera diferente). ¡Escribid lo que más os apetezca!

Os podéis poner en contacto con nosotros en:
Ediciones Serres: info@edicioneserres.com
Miguel Gallardo: gallardo@sct.ictnet.es
Àngels Ponce: angels@angelsponce.com

Así pues, ¡esperamos vuestras noticias!

Sumario

1 ¿Somos todos iguales?

La diversidad es una de las características de nuestro mundo: la diferencia forma parte de nuestra vida cotidiana. Pero las personas compartimos algo en común: tenemos los mismos derechos, incluido el de que nos quieran como somos, con nuestras capacidades y nuestras limitaciones. Respetar a los otros es aceptar que sean diferentes a nosotros, y tener presente que no por ello dejan de ser personas. En esto consiste ser tolerantes.

Mira a tu alrededor y verás un montón de cosas diferentes. Seguro que en casa no son iguales todas las sillas; ¿cuántos jerséis tienes idénticos en el armario? Mira los árboles, las plantas…, ¿tienen las hojas las mismas formas? Imagínate todos los animales que hay en la tierra: los que nadan en los ríos, mares y océanos; los que vuelan, los salvajes, los domésticos, los que tienen patas, los que no tienen; los más grandes y los más pequeños, ¿a que son diferentes?

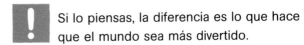 Si lo piensas, la diferencia es lo que hace que el mundo sea más divertido.
Te imaginas lo aburrido que sería que de postre tomaras siempre la misma fruta.

¡En medio de la diversidad del mundo vivimos las personas! Y tampoco hay dos que sean iguales. Hay personas altas, bajas, algunas están gordas, otras delgadas. Algunas tienen la piel oscura, y otras más clara. Hay personas rubias, castañas, morenas, con el pelo liso, rizado, con mucho pelo o con poco. Ni los gemelos más parecidos son exactamente idénticos.

NO HAY DOS IGUALES

En todas las personas hay diferencias, aunque en algunas se aprecian más que en otras.

Dentro de cada persona pasan montones de cosas que no podemos ver a simple vista. Sin embargo, hay algunas que podemos verlas con aparatos especiales, como los rayos X o los microscopios. Gracias a estos inventos sabemos cómo somos por dentro.

Pero no creas que por dentro somos todos iguales, Por ejemplo, todo el mundo tiene sangre en las venas, pero hay diferentes tipos de sangre: A, B, AB, O… Saber a qué grupo pertenece nuestra sangre es muy importante para nuestra salud porque, si en algún momento de nuestra vida tenemos que someternos a una transfusión de sangre (por un accidente, o una operación,…), sólo nos servirá la sangre de una persona que tenga nuestro mismo grupo sanguíneo. ¡Y eso les ocurre a todas las personas del mundo! Así pues, ¡un japonés puede donar sangre a un holandés de su mismo grupo!

Hay diferencias que son más difíciles de ver a simple vista, y que no se pueden ver con aparatos. Se trata de los pensamientos y sentimientos, de lo que nos gusta y de lo que nos molesta, de todo aquello que sólo podemos conocer dedicando tiempo a las personas que nos rodean, esforzándonos por conocerlas, por escucharlas, por saber lo que quieren aunque no nos lo digan. Todo eso es lo que nos hace verdaderamente diferentes y ÚNICOS ante los demás.

Hay otras diferencias entre las personas que tienen que ver con el lugar en que viven. Por ejemplo, la gente que vive en África es más oscura porque su piel necesita más pigmentación para protegerse de un sol que quema más que el de Europa.

Otras tienen que ver con la cultura propia de cada lugar. Son las que hacen que algunas cosas sean aceptadas en una parte del mundo y en otras no. Por ejemplo, las personas de religión musulmana no comen cerdo, pero a otros niños les encanta el jamón.

O con las condiciones sociales: la mayoría de niños de Asia van descalzos por la calle mientras que la mayoría de europeos tiene más de un par de zapatos.

! Por eso el hecho de nacer en una parte u otra del mundo ya nos hace diferentes. ¡lo que es "normal" es ser diferente!

Pero si bien es muy importante tener presente que todos somos diferentes, no hay que olvidar que también tenemos numerosas cosas en común. La más importante es que todos somos personas y que, por tanto, compartimos derechos, necesidades, deseos, recursos… Todas las personas necesitamos comer para sobrevivir, beber, tener salud, una casa donde guarecernos del frío, alguien que nos quiera, alguien a quien podamos acudir cuando estemos preocupados, amigos con quien compartir cosas, una familia… y, sobre todo, todos tenemos derecho a esperar que nos valoren por lo que somos, con nuestros aciertos y nuestros errores.

Y todas las personas tenemos también nuestras limitaciones (cosas que no sabemos hacer o que nos cuesta más hacer) y nuestras capacidades (las que sí que sabemos hacer o en las cuales destacamos).

! No hay nadie que sea "perfecto" en todo, no hay nadie que no sea capaz de hacer algo.

! Todas las personas tenemos cosas positivas. Por eso hay que ser respectuoso con la diferencia. Ser diferentes no quiere decir ser ni mejor ni peor. Hemos de aprender a ser tolerantes, lo que quiere decir entender y admitir que los otros pueden tener una manera de ser, de pensar y de actuar diferente de la nuestra.

Si no fuésemos tolerantes, convivir en el mundo sería imposible.

La tolerancia es el respeto de la diversidad a través de nuestra común humanidad.

Boutros Boutros-Ghali, 6º secretario de la Organización de las Naciones Unidas (ONU)[1]

1 Extraído de Pujol Pons, E.; Luz González, I. "Valors per a la convivència". Barcelona: Parragón Ediciones, S. A. (2002).

Ejercicios

Recorta de un diario una fotografía de algún niño y comenta con quien quieras (tu padre, tu madre, un hermano o una hermana, un amigo...) las diferencias y las cosas que tiene en común contigo.

Haz una lista de las cosas que sabes y que no sabes hacer. Compara tus capacidades y limitaciones con alguien de la familia. Si tienes un hermano con discapacidad, es importante que también haga el listado. (Nota para los padres: recordad que si participáis, estáis dando una lección importante a vuestros hijos al reconocer vuestras limitaciones. No es necesario estar en casa para hacer este ejercicio. Podéis aprovechar algún acontecimiento cotidiano.)

2 ¿Cuáles son las causas? ¿Qué sabemos?

Nuestro cuerpo es un complicado rompecabezas en el que cada pieza sabe dónde va y lo que tiene que hacer desde el primer momento. Pero a veces no sucede así y hay piezas que no encajan, otras que se han perdido, y algunas que se les ha borrado el color... El resultado de todo eso aplicado a las personas es una deficiencia, que es lo que genera la discapacidad (lo que tú ves).

No siempre se sabe cuál es la causa exacta, pero sí cuándo puede pasar.

1 ANTES DE NACER

Desde que la célula original comienza a dividirse se inicia un proceso muy complicado. Se han de tener en cuenta muchas cosas que son imprescindibles para llegar a ser persona. No hablamos sólo de que encajen piernas y brazos, también hablamos de un cerebro que funcione, una herencia, las instrucciones de cómo se han de organizar las células para estar sanos, etc.

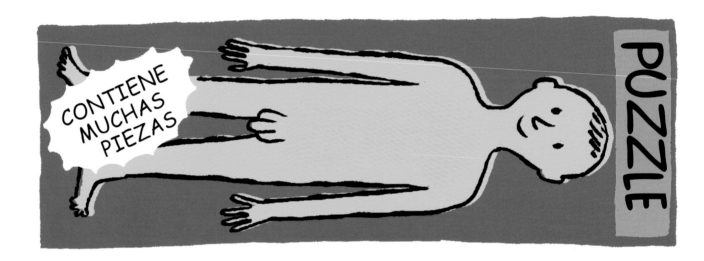

Algunas veces, al inicio de este proceso en el que comienzan a encajar las piezas del rompecabezas, falta alguna importante o hay alguna defectuosa. Entonces, el embarazo ya no progresa porque más adelante el feto no podría sobrevivir. Ocurre, entonces, lo que llamamos un aborto.

Otras veces, aunque exista un problema con las piezas de este rompecabezas inicial, la construcción continúa y se habla, entonces, de defecto congénito, que quiere decir que existe algún defecto en la estructura, en el funcionamiento o en los procesos químicos del organismo. Muchas veces no sabemos por qué pasa eso.

20

Uno de los motivos por los que existen estos defectos son los factores genéticos: enfermedades genéticas que se heredan del padre o de la madre y no siempre se sabe quién es el portador (sólo se pueden ver haciendo un estudio genético a través del ADN). También hay alteraciones genéticas vinculadas a los cromosomas sexuales, X e Y.

Los defectos genéticos también pueden tener su origen en FACTORES AMBIENTALES, como el abuso de drogas o alcohol por parte de la madre, las infecciones, el uso de ciertos medicamentos o productos químicos.

Hay también muchos defectos congénitos que pueden ser la combinación entre factores genéticos y ambientales. Los defectos genéticos se agrupan en tres categorías, según lo que los causa:

CUANDO HAY DEFECTOS EN LA ESTRUCTURA
Quiere decir que un bebé nace con una malformación en una parte del cuerpo –interna o externa–, o con la falta de esa parte del cuerpo. Por ejemplo:

Defectos cardiacos
Son malformaciones en la estructura del corazón, lo que se denomina una cardiopatía congénita. Cardiopatía quiere decir enfermedad del corazón y congénita quiere decir que el corazón se forma mal desde el primer momento del embarazo. En mucho de los casos no se sabe por qué ocurre.

Estas malformaciones se pueden detectar y tratar desde el momento del nacimiento. A veces, hay que operar al bebé y después tendrá que hacer un seguimiento médico y farmacológico bastante intenso. Los niños con defectos cardíacos pueden llevar una vida bastante normal, pero han de tener cuidado con las actividades físicas que conlleven un gran esfuerzo, porque su salud es delicada. A veces, también necesitarán que los maestros los ayuden, ya que los largos periodos en el hospital no les permiten seguir el ritmo escolar.

Espina bífida

Es un defecto del tubo neural (que es el origen del cerebro y de la médula espinal desde el momento en que el feto comienza a desarrollarse), que no se cierra completamente en un lugar concreto, se desvía y se forma como un nudo que sobresale de la espalda del bebé. Al quedar abierto, afecta a los nervios que salen de esta zona. En función de donde tenga la abertura, el niño quedará más o menos afectado. No sabemos el motivo por el que se produce esto, pero puede detectarse antes del nacimiento. Esto es importante, porque a veces se puede operar muy rápido al bebé afectado (hasta incluso cuando está en el vientre de la madre) para cerrar la columna.

Algunos niños con espina bífida tienen los músculos de las piernas muy débiles, otros los tienen totalmente paralizados. También pueden surgir problemas de hidrocefalia, o problemas en la vejiga y en los intestinos; todo depende de los nervios de la espina que estén afectados.

Frecuentemente, pueden caminar aunque usando aparatos ortopédicos o muletas, que los ayuden a tener estabilidad y a corregir malformaciones (en los pies y en la columna sobre todo); otros han de utilizar silla de ruedas.

A medida que va creciendo, el niño con espina bífida necesitará ayuda para aprender a desplazarse, usar el baño y ser independiente con estas limitaciones; muchos lo han conseguido y llegan a trabajar, se casan y tienen una vida completamente autónoma.

Hidrocefalia

Afecta al líquido que envuelve el cerebro, lo protege de los golpes y después circula por la médula espinal. En situaciones normales el organismo va renovando este líquido. Cuando un niño tiene hidrocefalia, este líquido se acumula y presiona el cerebro. Si no se extrae el líquido puede tener consecuencias graves para el niño. La hidrocefalia puede deberse a un defecto congénito (una malformación) o puede producirse a partir de una lesión o enfermedad.

Con frecuencia se hace una intervención quirúrgica para poner una válvula y un pequeño tubo que sirve para que la cabeza pueda hacer lo que no puede hacer por sí misma: sacar el líquido. Con este tubo, el líquido se desvía de la cabeza a otras partes del cuerpo que sí lo pueden eliminar. El niño que lleva esta válvula tendrá que hacer un seguimiento médico, para ver cómo funciona y si es preciso cambiarla, a pesar de ello puede llevar una vida normal. Algunos niños con hidrocefalia pueden tener retraso mental o ataques epilépticos a causa de esta presión.

CUANDO LOS CROMOSOMAS FALLAN

Dentro de cada una de los miles de millones de células que hay en nuestro organismo se encuentra ADN (ácido desoxirribonucleico), que contiene la herencia que recibimos de nuestros padres (la mitad de cada uno de ellos). Allí es donde está "escrito" cómo seremos a medida que crezcamos.

Los cromosomas son "paquetes" de ADN y proteínas y también están en cada una de las células. Los seres humanos tenemos 46 cromosomas repartidos en 23 pares (la mitad de cada par es del padre y la otra mitad de la madre).
El par número 23 es el responsable del sexo (son los cromosomas sexuales: XX para las mujeres y XY para los varones). El resto de pares (del 1 al 22) son exactamente iguales para varones y mujeres.

No sabemos por qué, pero lo cierto es que a los cromosomas les pueden pasar muchas cosas mientras se organizan: pueden ser demasiados, o demasiado pocos, pueden romperse, o incluso ponerse donde no les toca… Esta desorganización puede ocurrir en diferentes momentos y se conoce como anomalía cromosómica.

! Nada de lo que puedan haber hecho los padres antes o durante el embarazo puede provocar una anomalía cromosómica en su hijo. Tampoco se contagia, y no puede contraerse después de haber nacido.

"ME LLAMO ALBA Y TENGO 9 AÑOS. MI HERMANO SERGI TIENE SÍNDROME DE DOWN. CUANDO TIENES SÍNDROME DE DOWN TIENES UN CROMOSOMA DE MÁS. EL SÍNDROME DE DOWN ES ALGO QUE TIENES ANTES DE NACER Y HACE QUE APRENDAS MÁS LENTAMENTE QUE OTROS NIÑOS. NO ES ALGO QUE ALGUIEN PUEDA CAMBIAR O QUE TE DÉ VERGÜENZA. A LOS NIÑOS CON SÍNDROME DE DOWN LES GUSTAN LAS MISMAS COSAS QUE NOS GUSTAN A TI Y A MÍ; MONTAR EN BICICLETA, NADAR, TENER AMIGOS..."

Las anomalías más comunes son:

Síndrome de Down

El síndrome de Down se conoce también como trisomía 21, ya que el cromosoma número 21 no sólo está duplicado sino triplicado.

Generalmente los niños con síndrome de Down tienen un retraso mental y un aspecto característico (aunque no todos son iguales): los ojos ligeramente almendrados, la nariz y las manos pequeñas. Tienen un desarrollo más lento y son más propensos a tener algunos problemas de salud, como cardiopatías, miopía o problemas de oído.

Muchos niños con síndrome de Down aprenden las mismas cosas que los otros niños, pero necesitan más tiempo para hacerlo. Cuando son mayores pueden trabajar y algunos viven independientes, aunque a veces necesiten la ayuda de otras personas para hacer determinadas cosas.

Síndrome de X frágil

Otras alteraciones cromosómicas pueden ser provocadas por la falta de segmentos muy pequeños de un cromosoma (deleción) o porque una parte de un cromosoma se una a otra (translocación). Es la causa hereditaria más común del retraso mental.

El cromosoma sexual X es aparentemente diferente: una de las "patas" está pellizcada o es más frágil.

Afecta más a los varones que a las mujeres. Los niños que tienen este síndrome, tienen problemas de aprendizaje, les cuesta concentrarse y adaptarse a situaciones nuevas. También pueden tener dificultades para comunicarse con los demás, aunque tienen mucha facilidad para aprender palabras nuevas. Muchos tienen retraso mental pero con ayuda pueden aprender muchas cosas y llegar a ser bastante autónomos.

TENGO UN HERMANO QUE TIENE 10 AÑOS. SE LLAMA JAIME. TIENE SÍNDROME DE ANGELMAN. VA AL COLEGIO Y PARECE QUE REALMENTE LE GUSTA. LE VA MUY BIEN, PERO NECESITA MUCHA AYUDA PORQUE NO PUEDE HABLAR. NO SABEMOS SI ALGUNA VEZ HABLARÁ, PERO TODOS EN CASA ESTAMOS APRENDIENDO EL LENGUAJE DE LOS SIGNOS, Y ES MUY DIVERTIDO.

Síndrome de Angelman

A los niños que tienen el síndrome de Angelman les falta un trozo del cromosoma número 15.

Normalmente tienen graves problemas de aprendizaje, sufren ataques de epilepsia y no pueden hablar. Son muy inquietos y algunos pueden tener problemas para caminar. Pero tienen un carácter muy agradable y risueño, y les gusta mucho estar con otras personas.

Necesitan mucha ayuda tanto en su educación como en la vida diaria.

Existen técnicas que permiten ver si todo va bien en el feto que se está formando. Algunas de estas técnicas son:

Ultrasonidos: Se utilizan las ondas de sonido para fotografiar al feto sin que le perjudique (las radiaciones de los rayos X son peligrosas para él). Se hace con un aparato que se pasa por el vientre de la madre (como si fuera una cámara) que transforma los sonidos en imágenes. Estas imágenes se ven en una pantalla y se puede sacar una foto de ellas.

Con esta prueba, los médicos pueden controlar el crecimiento y la medida del feto, saber cuántos fetos hay y si tienen defectos importantes.

Amniocentesis: Se extrae una pequeña muestra del líquido que envuelve al feto y se analiza. El médico no le hace daño al feto porque antes de hacer la prueba mira, a través de ultrasonidos, dónde está colocado y pincha donde no pueda hacerle daño.

Es importante que durante el embarazo la madre se haga estas pruebas; con ellas se pueden prever problemas del feto (algunos se pueden evitar sólo con que la madre haga reposo o lleve una dieta determinada), de esta manera los médicos estarán preparados para proporcionarle al bebé los cuidados especiales que necesite.

CUANDO HAY DEFECTOS EN LOS PROCESOS QUÍMICOS

Los trastornos del metabolismo no son visibles, pero son muy graves para la salud de las personas. Por ejemplo:

Fenilcetonuria

Es una enfermedad genética transmitida por los padres, que son portadores pero que no la padecen. Se trata de una alergia a los alimentos. Se puede detectar muy rápidamente y se puede tratar con una dieta especial.

A los niños que nacen con fenilcetonuria les falta la enzima que transforma un determinado aminoácido del cuerpo, necesario para que los huesos, músculos y órganos internos se desarrollen.

La ausencia de esta enzima hace que el aminoácido se acumule y pueda provocar retraso mental, trastornos del comportamiento, epilepsia y problemas musculares.

Por eso, nada más nacer, se hace una prueba de sangre a los bebés para ver si tienen fenilcetonuria. Si es así, se les da una dieta especial.

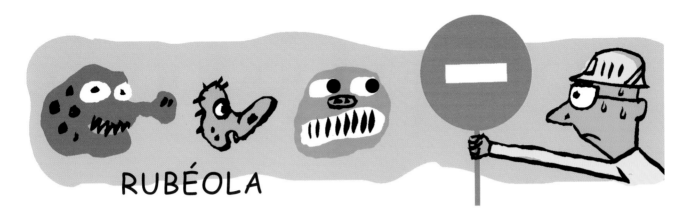

RUBÉOLA

Cuando hay infecciones durante el embarazo

Ya sabes que cualquier cosa que le pase a una mujer embarazada afectará a su bebé porque están comunicados directamente a través del cordón umbilical.

Las personas adultas estamos preparadas para combatir algunas enfermedades (somos más resistentes gracias a los glóbulos blancos) pero los fetos que viven dentro de la madre no tienen estas defensas y son muy vulnerables. Por eso, si la madre contrae un virus durante el embarazo, puede afectar gravemente al niño.

Un ejemplo es el caso de la rubéola. Si la madre la padece durante los tres primeros meses del embarazo, el bebé puede padecer el síndrome de la rubéola congénita, que puede provocar sordera, retraso mental, defectos cardíacos, ceguera…

Por este motivo las mujeres embarazadas, aunque no están enfermas, han de tener un cuidado especial.

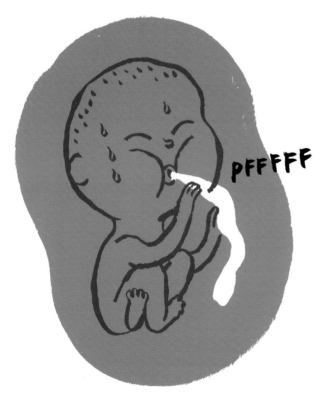

PFFFFF

2 DURANTE EL NACIMIENTO O DESPUÉS

Mientras sale del vientre de la madre o una vez nacido, al niño le pueden pasar algunas cosas que pueden llegar a provocar una discapacidad, como:

Anoxia

Se produce cuando, durante unos instantes, los bebés no reciben oxígeno (a veces porque el cordón umbilical se les lía alrededor del cuello y los ahoga). Esto puede provocar parálisis cerebral y retraso mental pero, afortunadamente, muchos niños que han experimentado anoxia no tienen efectos permanentes, el cerebro sólo se lesiona si la falta de oxígeno es durante un tiempo determinado.

Lesión cerebral

Es una lesión en el cerebro. Las causas más comunes de la lesión cerebral después del nacimiento son efectos de algunas enfermedades como la encefalitis o la meningitis. Una meningitis es como una gripe muy fuerte que normalmente afecta a los niños menores de 5 años, y que puede provocar efectos permanentes como hidrocefalia, parálisis cerebral, epilepsia o retraso mental.

El cerebro, sin embargo, también se puede lesionar antes de nacer y durante el parto (a causa de una anoxia).

Traumatismo craneal

Es un fuerte golpe en la cabeza. Todos estamos expuestos a darnos un golpe fuerte en la cabeza a lo largo de nuestra vida. Por este motivo es muy importante que llevemos cuidado y tengamos siempre presente estos consejos:

Cuando vamos en coche y somos pequeños hay que ir siempre en el asiento de atrás, en una silla especial según nuestro peso y atados con el cinturón de seguridad. (¡Nunca hemos de ir de pie ni en el asiento de delante!).

En casa no hay que jugar con los enchufes y tenemos que llevar cuidado con las escaleras, las ventanas y las puertas (de hecho, deberíamos estar siempre protegidos).

En la calle es muy importante que conozcamos las normas básicas de educación vial, respetar los semáforos, cruzar la calle mirando a los dos lados y siempre por los pasos de cebra. Si vamos en bicicleta, debemos ir por los carriles reservados para ello y no por donde pasan los coches.

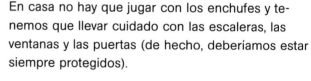

Hay que llevar mucho cuidado en las piscinas. Es importante aprender a nadar, no tirarse de cabeza si no controlas bien, no correr por el borde de la piscina (es fácil resbalarse). Hemos de seguir siempre las normas que haya en estos lugares.

Hay que utilizar siempre el casco en aquellos deportes en que se corra el riesgo de darse un golpe en la cabeza (montar en bici, patinar, esquiar, etc.).

Cuando comemos, también debemos tener cuidado y masticar bien los alimentos porque podríamos atragantarnos.

Los accidentes son una de las causas más frecuentes de discapacidad. Muchas veces las personas accidentadas pueden ser tratadas y la recuperación es total, pero otras veces pueden tener una discapacidad permanente. En cualquier caso los efectos son distintos:

Efectos cognitivos

Afectan a la forma en que trabaja el cerebro. Por ejemplo, pueden tener problemas para recordar cosas que han aprendido hace poco o cosas que han pasado hace mucho tiempo, o no pueden concentrarse en lo que leen.

Efectos físicos

Afectan el habla y otros sentidos (vista, oído,...). Las personas con traumatismo craneal pueden tener mucho dolor de cabeza, quizá no puedan utilizar las manos como lo hacían antes del accidente; pueden también tener epilepsia o una parálisis cerebral que les impide mover las piernas u otra parte del cuerpo.

Otros efectos

Afectan la manera de sentir y comportarse, por ejemplo se ponen tristes porque no pueden hacer las cosas como los demás. Algunas personas pueden experimentar cambios de humor y se pueden enfadar con los otros muy fácilmente.

Los efectos dependen del grado de la lesión, aunque con la ayuda necesaria se pueden reducir y conseguir que las personas con lesiones se adapten a la nueva situación.

Ejercicio

Prevención de traumatismos craneales.

Haz una lista de los deportes en los que hay que llevar casco porque se corre el riesgo de caer y darse un golpe en la cabeza: esquí, ciclismo, patines, motos...

3 ¿Qué es una discapacidad?

Las discapacidades pueden cambiar nuestra manera de ver el mundo. Pueden limitar nuestras capacidades a la hora de aprender cosas, de entenderlas o hacerlas, pero nunca nos anulan ni nos disminuyen como personas.

Seguro que en algún momento de tu vida has visto o has conocido a alguien que tiene una dificultad muy evidente para hacer lo que el resto de las personas hace con facilidad: caminar, ver, hablar… Podemos decir que esta persona tiene una deficiencia: algo en su organismo que le impide poder funcionar como los demás (hemos explicado alguna de estas cosas en el capítulo anterior).

Cuando hablamos de que una persona tiene una discapacidad, nos referimos a que tiene problemas para hacer algo en concreto (para bajar escaleras, caminar, ver, hablar…) La discapacidad se define como:

! "La expresión de limitaciones en el funcionamiento individual dentro de un contexto social que representa una desventaja sustancial para el individuo".

La discapacidad, pues, no está en la persona, sino en los factores externos que favorecen o limitan la expresión de sus capacidades. Para que lo entiendas mejor te pondremos un ejemplo: un niño ciego no puede ver porque tiene una deficiencia visual, pero si le damos un cuento escrito en un sistema llamado Braille lo podrá leer, con los dedos, pero ¡lo leerá! La deficiencia está en el nervio óptico, y la discapacidad es que no puede leer con los ojos el lenguaje escrito, pero con ayuda (el cuento escrito en Braille) se disminuye esta discapacidad y se potencia lo que sí puede hacer: leer con los dedos.

Es importante que entiendas que todas las personas tenemos dificultades y que en algún momento también podríamos considerarnos "personas con discapacidad"; por ejemplo, cuando estamos enfermos. ¿Verdad que cuando estás muy resfriado, con fiebre y en la cama, tienes dificultades para concentrarte, entender lo que te dicen o hacer cosas que normalmente haces, porque te sientes "chafado" y decaído? Entonces tienes una discapacidad temporal. Lo mismo ocurre cuando te rompes una pierna y te la escayolan: no puedes saltar ni correr.

Otra cosa que tienes que tener en cuenta es que hay diferentes niveles o grados de discapacidad. Por ejemplo, se habla de discapacidad auditiva tanto si una persona tiene dificultad para oír como si no oye nada. Hay también personas que tienen más de una discapacidad a la vez, entonces se dice que tienen una pluridiscapacidad.

Finalmente, has de tener presente que una discapacidad no define a una persona. Un niño que no ve puede tener un oído muy fino, o un olfato muy agudo, o un gran sentido del humor… Una de las grandes equivocaciones que cometemos es pensar que alguien que tiene una discapacidad es discapacitado en todo, y no es así. ¡En este libro queremos ayudarte a entenderlo!

! Los niños con discapacidad tienen los mismos derechos que el resto de los niños: ser felices, ser tratados con respeto, querer y ser queridos, ¡ser como son!

4 Discapacidades físicas

Una discapacidad física es la que afecta alguna parte visible de nuestro cuerpo, especialmente las extremidades (piernas, pies, manos y brazos).

Por eso algunas personas con discapacidad física tienen que utilizar aparatos que los ayuden a desplazarse (muletas, bastones, sillas de ruedas…) y otras adaptaciones, como calzado especial, barandillas, aparatos para comunicarse…, que les ayuden a superar las limitaciones en la vida cotidiana.

Las discapacidades físicas más habituales son las de nacimiento (la parálisis cerebral, la espina bífida…), pero también hay algunas que sobrevienen después (es decir que aparecen más tarde) como consecuencia de un accidente o de una enfermedad.

Los obstáculos mayores que han de superar las personas con discapacidad son los que se conocen como barreras arquitectónicas, que condicionan su acceso a los distintos sitios, ya que no pueden desplazarse como la mayoría de las personas. Por ejemplo: subir escaleras, pasar por lugares muy estrechos…

Seguro que donde tú vives puedes encontrar algunas medidas que están pensadas para las personas que tengan dificultades de movilidad, no sólo para las que tienen una discapacidad física sino también para las que necesitan atenciones especiales (ancianos con bastón, madres o padres con coches de bebés, etc.). Por ejemplo:

Hay partes de las aceras de las calles que tienen un pequeño desnivel o rampa para acceder al paso de peatones.

En muchos lugares, hay plazas de estacionamiento reservadas para que aparquen los coches de las personas con discapacidad física (la señal es una imagen de una silla de ruedas de color azul).

Hay cabinas telefónicas muy bajitas. ¿Por qué será? Pues porque son para personas que van en sillas de ruedas.

Algunos ascensores tienen los números escritos en relieve. Es el sistema Braille.

También hay algunos transportes públicos (autobuses, metros, trenes…) que tienen rampas para que puedan entrar las personas con necesidades especiales.

Es importante que seas respetuoso con todas las adaptaciones que hay en tu ciudad, porque son importantes para algunas personas. Piensa en los que no lo tienen tan fácil como tú para llegar a los sitios.

Algunas actividades cotidianas son muy difíciles para las personas que utilizan sillas de ruedas, por eso también necesitan adaptaciones especiales en su casa (ascensores, puertas anchas, baños con agarradores…).

A pesar de las dificultades, muchas personas con discapacidad física pueden llevar una vida muy autónoma si en lugar de barreras se encuentran con facilidades y tienen las adaptaciones que necesitan.

TONI ES MAESTRO Y TRABAJA EN UNA PEQUEÑA ESCUELA DE UN PUEBLO. ESTÁ CASADO Y TIENE DOS HIJAS.

VIVEN TODOS JUNTOS EN UNA CASA PRECIOSA, CON JARDÍN, EN LA QUE NO HAY NI UNA SOLA ESCALERA Y LAS PUERTAS SON MUY ANCHAS. AUNQUE LA ESCUELA ESTÁ UN POCO LEJOS DE CASA, TONI NO TIENE NINGÚN PROBLEMA PARA LLEGAR: CONDUCE UN COCHE ADAPTADO QUE POR FUERA ES COMO TODOS, PERO POR DENTRO TIENE TODOS LOS MANDOS EN EL VOLANTE O MUY CERCA DE ÉL (CON LAS MANOS ACCIONA EL FRENO O EL ACELERADOR O, INCLUSO, EL CAMBIO DE MARCHAS).
CUANDO VAN DE PASEO, SUS HIJAS, QUE TODAVÍA SON PEQUEÑAS, PUEDEN SUBIRSE A LAS PIERNAS DE TONI, ¡ASÍ NO SE CANSAN TANTO Y ES MUY DIVERTIDO!

Hoy en día hay muchas adaptaciones que hacen que la vida de las personas que necesitan ir en silla de ruedas sea más fácil. Incluso una persona que sólo pueda mover una mano o la cabeza puede conducir su silla de ruedas sin que nadie la tenga que empujar (son las sillas eléctricas).

Ir en silla tampoco es impedimento para practicar un deporte. ¿Has oído hablar de los Juegos Paralímpicos? Todos los atletas tienen una discapacidad física o sensorial, pero los puedes ver jugando a baloncesto, corriendo, esquiando, nadando...

1 PARÁLISIS CEREBRAL

La parálisis cerebral es la causa más frecuente de discapacidad física, y es el resultado de una lesión en una parte del cerebro que no permite que las órdenes que éste envía lleguen correctamente a los músculos. Según cuáles sean las órdenes cerebrales que no se producen correctamente, costará más o menos que se mueva una parte del cuerpo u otra. La parálisis cerebral también puede provocar otras alteraciones sensoriales, perceptivas...

La lesión que provoca la parálisis cerebral puede ocurrir antes, durante o después del nacimiento, y no siempre se conocen las causas que la provocan.

Hacia los dos o tres años se puede ver si un niño tiene parálisis cerebral, pero los padres se dan cuenta antes porque el niño puede tener dificultades para hacer cosas básicas, como girarse, sentarse, gatear, sonreír o andar..., o las hace más tarde que los otros niños.

Las personas con parálisis cerebral no son todas iguales: algunas utilizan sillas de ruedas o muletas, mientras que otras pueden andar, aunque con dificultades. Para comunicarse unas utilizan fotos y dibujos, y otras, sin embargo, no tienen ningún problema para hablar...Todo depende del tipo y del tamaño que tenga la lesión de su cerebro.

Hay niños con parálisis cerebral que tienen problemas de retraso mental, o de visión, o de oído… Pero hay muchas personas con parálisis cerebral que son tan inteligentes como las demás (¡o más!), aunque no lo parezca porque están afectadas físicamente.

! La parálisis cerebral no es progresiva. Eso quiere decir que no empeora, aunque algunos síntomas se pueden hacer más evidentes. Tampoco es ninguna enfermedad: ni se cura ni se puede contagiar.

Muchos de los niños con parálisis cerebral van a los mismos colegios que los demás niños (eso sí, es muy importante que puedan acceder a las clases con comodidad: necesitan un ascensor en caso que haya escaleras). Sin embargo los hay que están muy afectados físicamente, incluso algunos también intelectualmente, y tienen que ir a colegios especiales donde se les proporciona todas las ayudas que necesitan para aprender.

Con un equipo especial, terapia y entrenamiento, se puede ayudar a las personas con parálisis cerebral a controlar ciertos movimientos, a cubrir sus necesidades… En definitiva, facilitarles el poder llevar una vida lo más normal posible.
Estas ayudas pueden ser:

Físicas

Dirigidas a que el niño mejore el desarrollo motriz y evitar que sus músculos se deterioren. Los profesionales que se ocupan de ellas son los fisioterapeutas, que juegan con los niños haciendo unos ejercicios muy divertidos –con pelotas muy grandes o colchonetas de muchas formas y colores- con los que les ayudan a tenderse y a moverse todo lo que puedan.

A veces los niños con parálisis cerebral tienen que someterse a una operación (cirugía ortopédica) para ajustar la posición de los tendones o fusionar las articulaciones.

Comunicativas

Las utilizan unos expertos que se llaman logopedas. Ellos ayudan a los niños a aprender a hablar y, si no pueden, les enseñan a expresar lo que quieren decir por medio de dibujos o fotografías.

Otras

Hay otro tipo de terapia, conocida como ocupacional, que ayuda a los niños a desarrollarse en la vida cotidiana, comer, ir al baño…

Como ves, existen unos especialistas dedicados a ayudar a los niños con parálisis cerebral en determinados momentos. Pero, además de ellos, es importante que sus familias y las personas que los rodean (amigos, maestros…) sepan qué necesitan y cómo los pueden ayudar.

2 BALAS, BOMBAS Y OTRAS ANDRÓMINAS

Seguro que has visto en la televisión como, en los sitios donde hay o ha habido guerras, hay niños a los que les faltan manos, brazos, pies, piernas… Son amputaciones, muchas debidas a los efectos de unas "andróminas" denominadas minas antipersonas, que son una clase de bombas que algunos soldados entierran para evitar el paso del enemigo. Cuando acaban las guerras, no las quitan, y a los niños que pasan por allí jugando, les explotan y les deterioran las piernas o los brazos de tal manera que finalmente tienen que cortárselos y ponerles una prótesis. Hay mucha información sobre este tema y puedes también ofrecer tu ayuda a muchas organizaciones internacionales que trabajan para evitar los efectos que estas minas tienen en la vida de las personas.

**Si tienes un hermano o un amigo
con discapacidad física, recuerda:**

Aunque tenga una discapacidad física es capaz
de pensar por él mismo, de tener opiniones,
deseos… ¡capacidades!

No está enfermo, incluso puede ser que esté
más fuerte que tú.

Puedes ofrecerle ayuda, pero pregúntale primero
si la necesita y cómo puedes dársela.

Si tiene problemas de lenguaje y no se le entiende
bien, pídele que te lo diga otra vez y ten paciencia.
No termines las frases por él. ¡Espera!

Si le hablas, procura estar a su altura, siéntate
a su lado.

No tomes la silla de ruedas ni la lleves de aquí para
allá sin preguntarle antes lo que quiere hacer.

Ejercicio

Imagínate que para caminar tienes que utilizar muletas, o silla de ruedas, y piensa algún recorrido que hagas cada día (como por ejemplo ir al colegio). Con una silla ¿podrías entrar en el ascensor de tu casa?, ¿podrías subir al autobús que te lleva al colegio?, ¿y llegar a la clase?

5 Discapacidad intelectual

Discapacidad intelectual, discapacidad psíquica o retraso mental son los términos que se utilizan al hablar de los niños que tienen algunas limitaciones en su funcionamiento mental y en habilidades como la comunicación, el cuidado personal y la relación con los otros. Estas limitaciones hacen que aprendan con más lentitud que los niños de su misma edad. Necesitan más tiempo.

SERGI TIENE 8 AÑOS Y VA A UNA ESCUELA DE EDUCACIÓN ESPECIAL DESDE HACE TIEMPO. EN LA ESCUELA SE LO PASA MUY BIEN Y TIENE MUCHOS AMIGOS: LAIA, NIL, PAU... EN LA CLASE SON POCOS NIÑOS. POR ESO SERGI PUEDE RECORDAR TODOS LOS NOMBRES. LES GUSTA MUCHO APRENDER PORQUE NO TIENEN QUE IR DEPRISA, LA MAESTRA LES DA TODO EL TIEMPO QUE NECESITAN. LA VERDAD ES QUE A SERGI LE CUESTA MUCHO APRENDER COSAS NUEVAS: HACE DÍAS QUE INTENTA SABER LAS HORAS DEL RELOJ, PERO TODAVÍA NO LO TIENE DEL TODO CONTROLADO Y TIENE QUE PEDIRLE AYUDA A SU PADRE.

¿Qué provoca el retraso mental?

Hay diversas causas, además de las cromosómicas, que pueden hacer que un niño tenga una discapacidad intelectual y pueden ocurrir mientras está en el vientre de la madre (si ésta tiene alguna infección o enfermedad como la rubéola), durante el parto o cuando ya ha nacido, si el niño tiene una enfermedad como la meningitis o tiene lesiones cerebrales.

Pero en muchos casos no se sabe cuál es el motivo por el que un niño tiene discapacidad intelectual.

! La discapacidad intelectual no es ninguna enfermedad: no se contagia ni se cura.

La mayoría de los niños con discapacidad intelectual pueden aprender a hacer muchas cosas, aunque necesitan más tiempo que los otros niños y se han de esforzar más.

Se habla de que un niño tiene discapacidad intelectual cuando ocurren dos cosas:

Su funcionamento intelectual está afectado. Eso quiere decir que tiene dificultades para aprender, pensar o resolver problemas (esta capacidad se puede medir a través de un test de inteligencia).

No tiene todas las habilidades que los niños de su misma edad poseen para poder ser independientes de los adultos (o de las otras personas cuando son mayores). Es lo que se conoce como conducta adaptativa. En concreto, las más importantes serían:

Las que se refieren a la vida cotidiana, como vestirse, ir al baño, comer…

Las que se utilizan para comunicarse, como comprender lo que nos dicen, responder adecuadamente…

Las que se necesitan para relacionarse con los demás.

! El retraso mental (o discapacidad intelectual) no es una enfermedad mental (como la depresión).

Como puedes imaginarte, no todos los niños con discapacidad intelectual son iguales. Hay algunos que tienen más limitaciones en un aspecto que en otro, o tienen una afectación intelectual más o menos grave. Por este motivo es importante conocerlos individualmente.
La discapacidad intelectual afecta más a unos niños que a otros. Por eso necesitan diferentes ayudas o apoyos según cuáles sean sus necesidades o la gravedad de su retraso.

Para que entiendas lo diferente que puede ser el grado de afectación, te describimos la clasificación de discapacidad intelectual:

Personas con necesidad de apoyo intermitente.

Necesitan un poco de ayuda ahora y un poco después, en diferentes momentos y por cosas puntuales (imagínate el intermitente de un coche: ahora sí, ahora no, ahora sí, ahora no…), aprenden más lento las cosas esenciales. A menudo no parecen diferentes, excepto en el colegio donde aprenden más despacio a hacer las mismas cosas que los compañeros de clase. Cuando son mayores pueden encontrar un trabajo e, incluso, vivir independientes, como cualquier otra persona.

JOAN TIENE DIEZ AÑOS Y, COMO TODOS LOS NIÑOS, VA AL COLEGIO. AUNQUE LA MAYORÍA DEL TIEMPO LO PASA CON SUS COMPAÑEROS HAY RATOS QUE VA A OTRA CLASE CON RUT, QUE ES UNA MAESTRA QUE LE AYUDA A REPASAR LO QUE MÁS LE CUESTA –SOBRE TODO LAS MATEMÁTICAS-. ESTAR CON RUT ES DIVERTIDO, PORQUE ES CUANDO MÁS ENTIENDE LO QUE LE EXPLICAN. A ELLA NO LE IMPORTA REPETIRLO TANTAS VECES COMO HAGA FALTA HASTA QUE A JOAN LE SALGA BIEN. FUERA DEL COLEGIO LO QUE MÁS LE GUSTA ES JUGAR AL FÚTBOL. CHUTA DE UNA MANERA QUE EL BALÓN ATRAVIESA TODO EL CAMPO. LOS COMPAÑEROS DE SU EQUIPO ESTÁN MUY ORGULLOSOS DE PODER TENER A ALGUIEN QUE TIENE TANTA FUERZA EN LAS PIERNAS.

Personas que necesitan apoyo limitado o extenso

Son aquellas que necesitan ayuda durante un periodo de tiempo más bien corto, porque después aprenden todo lo que necesitan (aunque lo necesiten más de una vez en cosas diferentes); o bien necesitan un apoyo más extenso, lo que quiere decir que hay que ayudarlos todos los días para hacer determinadas cosas.

A veces las personas necesitan ayuda extensa en una parcela de la vida, pero en cambio en otra con una ayuda limitada tienen bastante. Por ejemplo, Lidia necesita ayuda para pagar en una tienda y contar el cambio. Pero sólo necesita un poco de ayuda (limitada) para vestirse.

Las personas que necesitan apoyo limitado o extenso aprenden más lentamente que las que sólo necesitan apoyo intermitente. Cuando son pequeñas aprenden más tarde a hablar o a caminar. Tienen problemas para recordar cosas y pueden ser poco hábiles. Necesitan más ayuda para aprender a tener cuidado de ellas mismas.

Personas que necesitan apoyo permanente

Son las que necesitan ayuda de otra persona para hacerlo todo, desde lavarse los dientes hasta vestirse. Estas personas no aprenden a hablar y a veces tampoco aprenden a andar. En la escuela especial aprenden sólo cosas muy básicas.

Muchos de los niños y niñas que necesitan apoyo permanente también tienen otras discapacidades como epilepsia, parálisis cerebral, problemas para ver y oír, o problemas serios de salud (por eso se dice que tienen una pluridiscapacidad). Necesitan mucha ayuda, tanto por parte de los profesionales como de sus familias, para atender sus necesidades a lo largo de toda su vida. También pueden tener un aspecto diferente o actuar de forma distinta a los demás.

A causa de sus necesidades, a lo largo de su vida utilizan unos servicios y centros especializados en los que se les ofrece todo el apoyo que necesitan de manera individualizada: escuelas de educación especial, centros de día, residencias…

Es importante que tengas en cuenta que la discapacidad intelectual no afecta a las capacidades emocionales. Como todo el mundo, los niños con discapacidad intelectual son felices, a veces se enfadan, hay cosas que les gustan más y otras menos…

Si tienes un hermano o un amigo con discapacidad intelectual, recuerda:

Ayúdale a ser independiente. No le hagas las cosas que puede hacer él solo, como por ejemplo atarse los zapatos.

Ten paciencia, porque seguramente necesitará más tiempo para hacerlo.

Si le has de explicar como se hace algo, enséñaselo paso a paso, por ejemplo, a poner la mesa:
1. ¿Cuántos somos? Los contamos uno a uno.
2. Vamos a la cocina. ¿Qué comeremos? Si hay sopa, tenemos que poner cucharas. Las tomamos y nos vamos a la mesa.
3. Ponemos un cubierto delante de cada silla, etc.

Aprenderá mejor si estás a su lado.

Pregúntale antes si necesita ayuda, y si te dice que sí, échale una mano.

No te olvides de animarlo, recuerda que lo que a ti te parece tan sencillo, ¡para él es un gran esfuerzo!

Trátalo siempre con respeto.

6 Discapacidades sensoriales

Las discapacidades sensoriales son las que afectan a nuestros sentidos, que son las ventanas a través de las cuales recibimos información del mundo.

Son las que hacen que no haya una correcta percepción del sonido y los ruidos que nos rodean. Oír bien es importante, porque, además de saber qué es lo que ocurre a nuestro alrededor (si se acerca un coche cuando cruzamos la calle, por ejemplo), escuchando a los otros aprendemos las palabras que ahora nos sirven para expresar lo que sentimos, lo que queremos…

Los niños que apenas oyen o no oyen nada tienen sordera. Pero también puede pasar que haya niños que tengan una pérdida de la capacidad auditiva, que quiere decir que no son sordos, sino que pueden responder a algunos estímulos auditivos.

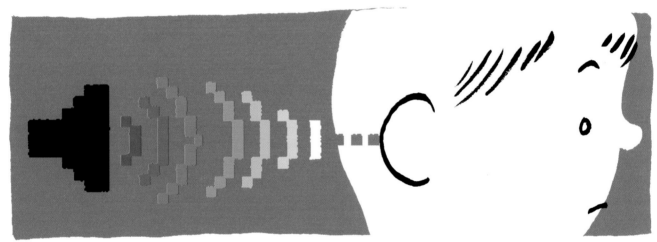

Estas dificultades pueden ser en un solo oído o en los dos. Y pueden responder a dos motivos diferentes (a uno de los dos o a los dos a la vez):

Enfermedades u obstrucciones que afectan el canal que lleva el sonido desde el exterior hasta el oído interno.

Problemas que afectan las células sensoriales del oído interno o los nervios auditivos. Eso hace que los niños no puedan escuchar determinado tipo de frecuencia de sonido, y aunque lo oigan, lo hacen de manera distorsionada.

Las causas que pueden generar estos problemas son muy diversas: genéticas, infecciones de la madre durante el embarazo, problemas en el parto, algunas medicinas, infecciones en los oídos, ruidos muy fuertes…

Hay diferentes grados de sordera. Los niños con una pérdida de audición leve no oyen las palabras dichas en voz baja. Los que tienen una pérdida moderada necesitan que se les hable un poco más fuerte. Los que tiene una pérdida severa sólo oyen las voces fuertes. Finalmente los niños con pérdida profunda de audición sólo pueden oír ruidos muy fuertes.

Hay un conjunto de pruebas que permiten medir la capacidad auditiva de cada niño. Son las audiometrías.

También existe un número de prótesis para que los niños puedan oír, como los audífonos, que ayudan a las personas con problemas de pérdida de oído amplificando los sonidos (es como un pequeño micrófono que se coloca en el oído), o los implantes cocleares, que estimulan el nervio auditivo (éstos no se ven, porque se colocan dentro del oído mediante una operación). Los sonidos que oyen las personas con implante coclear son diferentes de los que oímos los demás.

Los niños se tienen que acostumbrar a las prótesis y, para conseguirlo, hay un entrenamiento auditivo: han de aprender a oír bien. Por eso es importante la intervención de los médicos especialistas, los otorrinolaringólogos, y los audioprotésicos, que vigilan que la prótesis se ajuste y funcione bien, y, naturalmente, ¡la de sus familias y sus amigos!

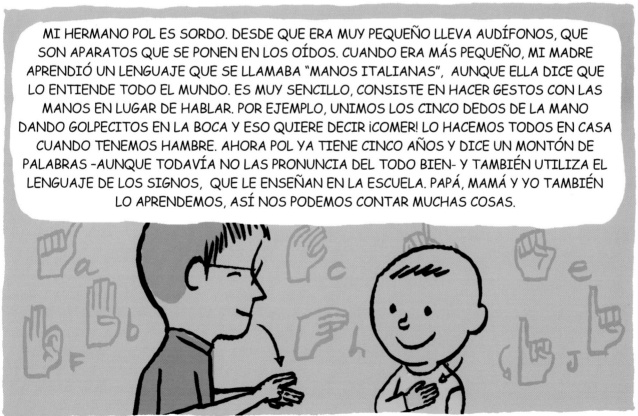

MI HERMANO POL ES SORDO. DESDE QUE ERA MUY PEQUEÑO LLEVA AUDÍFONOS, QUE SON APARATOS QUE SE PONEN EN LOS OÍDOS. CUANDO ERA MÁS PEQUEÑO, MI MADRE APRENDIÓ UN LENGUAJE QUE SE LLAMABA "MANOS ITALIANAS", AUNQUE ELLA DICE QUE LO ENTIENDE TODO EL MUNDO. ES MUY SENCILLO, CONSISTE EN HACER GESTOS CON LAS MANOS EN LUGAR DE HABLAR. POR EJEMPLO, UNIMOS LOS CINCO DEDOS DE LA MANO DANDO GOLPECITOS EN LA BOCA Y ESO QUIERE DECIR ¡COMER! LO HACEMOS TODOS EN CASA CUANDO TENEMOS HAMBRE. AHORA POL YA TIENE CINCO AÑOS Y DICE UN MONTÓN DE PALABRAS -AUNQUE TODAVÍA NO LAS PRONUNCIA DEL TODO BIEN- Y TAMBIÉN UTILIZA EL LENGUAJE DE LOS SIGNOS, QUE LE ENSEÑAN EN LA ESCUELA. PAPÁ, MAMÁ Y YO TAMBIÉN LO APRENDEMOS, ASÍ NOS PODEMOS CONTAR MUCHAS COSAS.

En general, las dificultades auditivas hacen que a los niños les cueste aprender el lenguaje o que, cuando lo aprenden, este no sea tan amplio.

Lenguaje de signos

Los niños que no pueden oír los sonidos del habla han de utilizar el lenguaje de signos, que los ayuda a comunicarse con las manos. Cada gesto puede significar una letra, una palabra o una idea, y les permite expresarse como en cualquier otro idioma.

Un niño sordo puede utilizar exclusivamente la lengua oral –catalán, castellano...– leyendo los labios, o bien la lengua de los signos –en catalán, en castellano...–, o las dos.
También puede aprender a hablar, aunque lo hará más tarde que los otros y necesitará una ayuda especial.

La sordera no afecta la capacidad intelectual ni la habilidad para aprender.

El logopeda es el profesional que los ayuda a entender el lenguaje oral, a leer los labios de los otros o el lenguaje de los signos. La ayuda del resto de la familia en casa también es fundamental: ¡es donde más palabras se aprenden!

Los niños con discapacidad auditiva pueden ir a la escuela si se les proporcionan las ayudas que necesitan –como sentarse en la primera fila, o estar con alguien que los ayude a tomar apuntes–. Pero también hay escuelas para niños sordos, en las que todos los alumnos tienen dificultades auditivas, los maestros están especializados y el material escolar está adaptado a sus necesidades.

Existe un número de aparatos que facilitan a los niños sordos la vida diaria. En casa pueden tener avisadores luminosos que sustituyan a los timbres, despertadores con luz o con vibrador, teléfonos de texto o con amplificadores, películas y programas subtitulados... que les ayudan a superar las barreras que se encuentran: las de comunicación.

Un niño sordo puede sentirse aislado del mundo si no lo ayudamos a entender qué es lo que pasa… Sólo hay que dedicarle un poco de tiempo.

¿Cómo puedes ayudar a alguien que tiene una discapacidad auditiva?

Si tienes un hermano o un amigo con discapacidad auditiva, lo puedes ayudar de diferentes maneras:

Los ruidos de fondo le pueden molestar. Baja el volumen de la radio o de la televisión cuando hables con él, le ayudará a comprender lo que le quieres decir.

Asegúrate de que te presta atención antes de hablar con él, y de que pueda verte bien la cara.

Si estás muy lejos de él, le costará entender lo que le dices. Cuanto más cerca estés, mejor te entenderá.

Asegúrate de que tu cara está bien visible, así podrá leer tus labios con claridad.

No hables demasiado deprisa, tampoco grites.

Tus expresiones de la cara y los gestos de las manos le ayudarán a entender lo que dices.

Si no te entiende, repíteselo pero con otras palabras, si es necesario se lo puedes escribir.

No hables con la boca llena, ni masticando chicle, no te podrá leer bien los labios.

Se paciente.

MI HERMANO MAYOR, MARC, ES CIEGO. ESO HACE QUE A VECES EN CASA, MIS PADRES Y YO TENGAMOS QUE PENSAR EN MUCHAS COSAS, COMO TENER BIEN CERRADAS LAS PUERTAS –SI LAS DEJAMOS UN POCO ABIERTAS, SE PUEDE DAR UN GOLPE EN LA CABEZA; DE HECHO YA HA PASADO MÁS DE UNA VEZ... NADA GRAVE, PERO ¡FUE UN BUEN CABEZAZO!-, O TENER CUIDADO DE QUE TODAS LAS COSAS ESTÉN EN SU SITIO: LAS SILLAS DENTRO DE LA MESA, LAS TOALLAS DEL BAÑO COLGADAS, LOS CEPILLOS DE DIENTES SIEMPRE DENTRO DEL VASO Y LA PASTA AL LADO... SI NO LO HACEMOS ASÍ, MARC SE HACE UN LÍO Y NO ENCUENTRA NADA. LA VERDAD ES QUE, A VECES, ESO ES UNA LATA... ¡ES UN ROLLO TENER QUE PENSAR EN TANTAS COSAS! AUNQUE A VECES ES A MARC A QUIEN SE LE OLVIDA QUE LOS DEMÁS VEMOS: CUANDO ESTÁ OSCURO, ÉL PUEDE SUBIR AL PISO DE ARRIBA SIN ENCENDER LA LUZ, Y YO QUE NO VEO NADA, ¡NO ME PUEDO MOVER DE DONDE ESTOY!

Algunos niños son ciegos o tienen una pérdida parcial de la visión. Eso puede estar causado por diversos motivos: la madre puede haber tenido alguna infección durante el embarazo, pueden haber heredado los problemas de visión de sus padres, o haber padecido alguna enfermedad relacionada con la visión mientras eran pequeños, como las cataratas (que son como nubes en las lentes del ojo). Otra causa de ceguera es el glaucoma, que es cuando se acumula el líquido en el ojo y la presión hace que se deteriore el interior. Un niño puede nacer con un glaucoma o desarrollarlo durante la infancia, pero generalmente se puede tratar con gotas o cirugía.

Existen problemas de visión considerados leves, y que habitualmente son provocados por el desarrollo del ojo. Por ejemplo, cuando los niños tienen miopía,

no pueden ver con nitidez las cosas que están lejos;
cuando tienen hipermetropía, tienen problemas para
ver las cosas que están muy cerca; cuando tienen
estrabismo, no pueden enfocar los dos ojos hacia
el mismo objeto (los ojos, en vez de una única
imagen, envían dos fotografías separadas al cerebro,
y el cerebro ignora la imagen más débil). Eso puede
provocar ambliopía, que es una pérdida de la visión
del ojo más débil que no trabaja. La ambliopía se
puede corregir poniendo a los niños un parche en
el ojo más fuerte, así se fuerza al ojo débil a trabajar.
Hay ejercicios especiales que también ayudan a
fortalecer este ojo "perezoso".

Por eso hay niños y niñas que llevan gafas para
corregir todos estos tipos de problemas.

Muchos de nosotros aprendemos mucho del mundo
con sólo mirarlo. Por eso los niños ciegos o con
problemas de visión necesitan ayuda extra para
aprender. Por ejemplo, los niños ciegos no pueden
ver cómo afectan las cosas a la gente de su
alrededor: no saben que cuando ellos sonríen su
familia también sonríe. Pero aprenden las emociones de otra forma, por el tono de voz, por ejemplo,
o cuando les cuentan lo que pasa.

Para jugar con juguetes y utilizar objetos necesitan
ayuda. Han de tocarlos y escuchar su descripción
para poder identificarlos. Así también aprenden el

nombre de los objetos, cómo son y para qué sirven,
que es una cosa muy importante para que puedan
expresarse como el resto de los niños.

Los niños ciegos también pueden leer, pero lo
hacen a través de un sistema denominado Braille,
que les permite ¡hacerlo con los dedos!
Es un código de 6 puntos con relieve, que, combi-
nados de diferente manera, significan cada una
de las letras y los números.

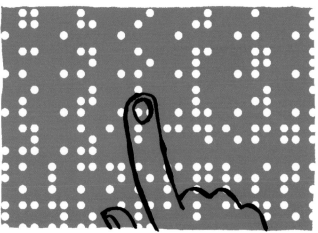

Pueden ir a todos los sitios, primero acompañados, claro –sobre todo para que no se hagan daño–. Pero una vez que han aprendido el camino, ya pueden ir solos por la calle con la ayuda de un bastón o de un perro entrenado, que les ayuda a evitar los obstáculos.

Seguro que ya te puedes imaginar que un niño ciego puede llegar a hacer muchas cosas entre las que está ir a la escuela. Sólo ha de tener las ayudas adecuadas para sus necesidades especiales. Lo cierto es que cada día hay más aparatos que les permiten tener una vida más fácil: ascensores que hablan –dicen en qué planta estamos–, con botones con los números en Braille, cajeros automáticos, ordenadores, semáforos…

Aprenden muchas cosas, las mismas que nosotros, sólo que ¡de una manera diferente!

Hay escuelas y centros especiales para personas que se han quedado ciegas de repente, a consecuencia de alguna enfermedad o algún accidente; allí les ayudan a adaptarse a la nueva situación, es decir, a aprender de nuevo.

¿Cómo puedes ayudar a alguien que tiene una discapacidad visual?

Cuando entres en la habitación en la que está, hazle notar tu presencia diciendo "¡hola!" cuando llegues y "¡adiós!" cuando te vas, es suficiente.

Cuando hay más personas hazle saber que hablas con él diciendo su nombre o tocándole en el brazo.

No padezcas si utilizas palabras relacionadas con la vista: como "mira" o "ya nos veremos" porque son muy habituales y seguramente no le molestan. Seguro que él también las utiliza.

Pregúntale si quiere que le acompañes, no insistas si dice que puede ir solo a cualquier sitio.

Cuando lo acompañes, ofrécele el brazo, para que sea él quien lo tome y siga tus movimientos; no lo agarres y lo arrastres hacia delante.

Si vais por la calle, le puedes explicar los obstáculos que hay en el camino, indicándole si hay unas escaleras mecánicas, por ejemplo.

Si vais a sentaros, ponle la mano derecha en la silla, se sentará él solo.

Si vives con él, procura que las puertas estén siempre abiertas o cerradas, y explícale si hay algún cambio de mobiliario.

Cuando hables con él no es necesario que le grites. ¡Ser ciego no quiere decir estar sordo!

Si lleva un perro guía, no juegues con él porque ¡está trabajando!

Ejercicio

Parte de algo que hagas habitualmente en casa, por ejemplo, ponerte el pijama, cepillarte los dientes o ir a dormir, pero hazlo ¡con los ojos tapados! Verás que diferente parece. Otra idea: come un día con los ojos tapados. Siéntate en la mesa y adivina lo que te pone en el plato tu madre, disfruta de los sabores, la textura de lo que masticas, ¡seguro que lo encuentras diferente!

7 Otros...

Hasta ahora te hemos explicado alguna de las diferencias más importantes, pero no todas. En este capítulo te explicaremos, brevemente, otras que están más relacionadas con la conducta, el autismo y algunas deficiencias conocidas como "orgánicas", que pueden no provocar una discapacidad, como la epilepsia.

AUTISMO

> MI HERMANA MARÍA TIENE CINCO AÑOS. ALGUNAS VECES REPITE LO QUE LE DICES, PERO LA MAYOR PARTE DEL TIEMPO ACTÚA COMO SI NO TE OYERA. MIS PADRES DICEN QUE TIENE AUTISMO. ES DIFÍCIL EXPLICAR QUÉ LE PASA PORQUE SU ASPECTO ES MUY NORMAL; TAMPOCO ESTÁ ENFERMA, VA A LA ESCUELA COMO TODOS LOS NIÑOS... ES SÓLO LO QUE HACE, QUE ES EXTRAÑO. LE PREGUNTAS Y NO TE CONTESTA, PARA PEDIR ALGO HACE UNA PREGUNTA, Y CUANDO HABLA DE ELLA PARECE QUE HABLASE DE OTRA PERSONA: "¿MARÍA QUIERE IR A LA CAMA?" YO YA SÉ LO QUE QUIERE DECIR, PERO PARA LOS DEMÁS ¡ES DIFÍCIL DE ENTENDER!

El autismo es un trastorno del desarrollo que impide a quien lo padece entender correctamente el mundo que le rodea y expresar lo que siente. Eso hace que, a pesar de ver y oír perfectamente, los niños con autismo tengan problemas para aprender cosas nuevas, comunicarse, relacionarse con las demás personas y seguir las pautas de comportamiento de los niños de su edad.

Mayoritariamente se cree que la causa del autismo es genética, sin embargo no se sabe con certeza. En todo caso:

! El autismo no está relacionado con la manera de ser de los padres, o con la forma de tratar a su hijo, ni con otros problemas psicológicos o de comportamiento.

Un niño autista tiene tres cosas que lo hacen diferente de los otros niños:

Le falla la interacción social: no muestra interés por relacionarse con otros niños o con las personas que lo rodean. A menudo no mira a los ojos de quien le habla.

Le falla la comunicación: parece que no entiende lo que se le dice y también tiene dificultades para expresar lo que quiere decir. Puede utilizar pocas palabras o repetir lo que le dicen (a veces, parece que lo que dice no tiene sentido). También puede ser que no hable.

Tiene unas conductas repetitivas o intereses restringidos: cuando algo le interesa sólo hace eso durante mucho rato y se olvida del resto. Por ejemplo, acercarse un juguete a la cara y mirarlo con mucha atención, y no hacer nada más que eso: mirarlo muy cerca, sin jugar con él.

A veces, los niños con autismo hacen movimientos rápidos y continuos, normalmente con las manos o el cuerpo, como balancearse hacia delante y hacia atrás (como si se columpiasen). No tienes que preocuparte si ves a un niño haciendo eso, simplemente lo hace porque le agrada la sensación.

Otra característica de estos niños es que no les gustan las sorpresas. Por eso sus padres y maestros mantienen siempre una rutina (por ejemplo, cuando van a la escuela siempre hacen el mismo recorrido) y también les explican lo que harán antes de hacerlo. Por ejemplo, "ahora vamos a quitarnos la ropa para ducharnos, empezaremos por los zapatos...". Pero como el lenguaje es una de sus dificultades, muchas veces utilizan la ayuda de imágenes para que puedan decir lo que quieren (son pictogramas, fotos del padre, de la madre, un plato, una cama... que ellos señalan cuando quieren decir eso).

Tampoco les gustan los ruidos porque son muy sensibles (incluso un ruido muy suave, que los demás casi no oímos, les puede molestar). También se irritan muy fácilmente si no tienen lo que quieren o no les gusta algo.

Les cuesta mucho utilizar la imaginación. Sólo pueden pensar que ahora están aquí; no pueden jugar a ser bomberos, por ejemplo, que es un juego que le gusta mucho al resto de niños.
Aunque te pueda parecer que estos niños viven encerrados en su mundo, no es así, no están aislados. Hay cosas que les gustan y otras que no. Lo que pasa es que a veces les cuesta mucho entender las cosas, como nos cuesta a nosotros entenderlos a ellos. Sí que tienen sentimientos pero no saben expresarlos y, naturalmente, pueden aprender muchas cosas, pero con métodos especiales adaptados a ellos.

Intelectualmente, los niños pueden estar más o menos afectados. Es decir, hay casos en que tienen una discapacidad mental asociada a la enfermedad, pero en otros casos su inteligencia es normal e incluso superior a la de un niño sin autismo.

Hay muchos grados de autismo. Por eso se habla de espectro. Imagínate la gama de azules que puedes encontrar, desde el más claro hasta el más oscuro, pues lo mismo pasa con el autismo: en el extremo del azul más pálido encontraríamos a los niños que tienen síndrome de Asperger, que son los que se comunican mejor, los que pueden aprender más cosas…

Como hay tantos grados diferentes, no existe un único tratamiento que vaya bien para todos: la atención es individual. Por eso hay niños con autismo que van a la escuela ordinaria (y les ayuda un maestro de refuerzo), pero hay otros que van a escuelas de educación especial.
Todos ellos reciben ayuda por parte de los profesionales y de sus familias para que crezcan y potencien sus capacidades de manera que puedan ser tan autónomos como sea posible.

Si tienes un amigo o hermano con autismo, recuerda:

No le des sorpresas, no le gustan nada. Adáptate tú a su mundo, en el que se encuentra cómodo y sabe lo que puede pasar. No rompas su rutina (para él es muy importante, le hace sentirse seguro).

Cuando le quieras decir algo, utiliza señales claras. No uses muchas palabras; los gestos y la expresión de tu cara le ayudarán a entender lo que le quieres decir.

Evita los ambientes donde haya mucho ruido.

Si sabes que para comunicarse utiliza pictogramas, procura que los tenga a mano y anímale a utilizarlos.

Recuerda que también puede jugar y disfrutar contigo.

Tenlo en cuenta, no lo margines porque tiene autismo y le cuesta comunicarse y relacionarse con los demás. Invítalo a participar, pero no lo hagas bruscamente.

Si se enfada mucho cuando estás con él, piensa que puede ser que no se enfade contigo.

No pienses que no hay nada que le guste. Seguro que hay cosas que le gustan. Si no las sabes pregúntaselas a los padres.

TRASTORNOS POR DÉFICIT DE ATENCIÓN CON HIPERACTIVIDAD (TDAH) O SIN

Es un trastorno que se inicia en la infancia y los niños que lo padecen tienen dificultades con la atención, tienen hiperactividad y son impulsivos.

Tener problemas para prestar atención, quiere decir tener dificultades para concentrarse en una sola cosa. Tener hiperactividad es no estarse quietos, estar siempre moviéndose de aquí para allá. Y ser impulsivos quiere decir actuar sin pensar, como echar a correr detrás de un gato sin pensar en el peligro que puede haber si se cruza la calle sin mirar.

Algunos niños con este déficit pueden ser sólo hiperactivos, o impulsivos, o tener problemas para poner atención en una sola cosa, aunque lo más frecuente es que tengan una combinación de las tres cosas. Por eso necesitan programas especiales que los ayuden a aprender cosas y a comportarse. Incluso pueden necesitar medicación para no sentirse tan enfadados o mal con ellos mismos.

Normalmente se muestran así tanto en casa como en la escuela, aunque es en esta última cuando su comportamiento es más evidente ya que es difícil para ellos seguir una clase: escuchar al maestro y tomar notas les cuesta mucho porque es hacer dos cosas a la vez. En casa les cuesta ponerse en marcha porque se distraen cuando hacen una cosa, como vestirse para ir a la escuela, por ejemplo, y olvidan cosas importantes (la mochila, la bufanda…) A veces, parece que no escuchen cuando se les habla. Por eso les cuesta mucho recordar las reglas de un juego y se las saltan.

Las causas de este trastorno no están muy claras, pero se está investigando si tiene que ver con un mal funcionamiento de algunas zonas del cerebro o con la genética.

Los padres y los maestros son muy importantes para detectar este tipo de trastorno y para ayudar a los niños a centrarse, controlarse y aprender. Pero quien tiene que hacer el diagnóstico es un psiquiatra o un psicólogo.

2 DEFICIENCIAS ORGÁNICAS

EPILEPSIA

La epilepsia es un problema de la conducción eléctrica del cerebro. Se produce una descarga fuerte y anormal en una zona concreta de la parte externa que provoca lo que vemos: contracciones musculares o convulsiones, que hacen que los niños que la padecen pierdan por un momento el control sobre ciertas partes del cuerpo. La parte del cuerpo que se "descontrola" depende del lugar del cerebro en el que se produce la descarga.

Hay diversos tipos de ataques:

El ataque generalizado afecta a todo el cuerpo. Puede hacer que los niños pierdan el conocimiento y se caigan al suelo, o que tengan una respiración irregular. El cuerpo se pone rígido, los dientes rechinan y se producen convulsiones. Este ataque normalmente no dura más de dos minutos y cuando acaba, los niños se pueden sentir cansados y confusos.

La crisis de ausencia es un tipo de epilepsia generalizada. Cuando un niño la padece se queda inmóvil, con la mirada fija o parpadeante y puede estar inconsciente durante 10 segundos; cuando el ataque acaba, no recuerda nada. A veces puede ser difícil de detectar porque puede confundirse con momentos en los que el niño está abstraído o no pone atención.

El ataque parcial comienza con un movimiento descontrolado de una parte del cuerpo, por ejemplo de un dedo. Poco a poco se extiende a otras partes. Mientras dura, el niño es consciente de lo que le rodea. Y algunas veces se puede prever.

La epilepsia puede tener diferentes causas (lesiones cerebrales, defectos de nacimiento, fiebre, tumores cerebrales, algunas infecciones), pero en la mitad de los casos se desconoce el motivo.

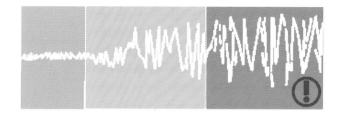

Hay pruebas médicas —los electroencefalogramas— que son fundamentales para diagnosticar la epilepsia; en la mayoría de los casos la epilepsia se trata con medicamentos.

Cuando una persona tiene un ataque de epilepsia no se puede hacer nada (recuerda que dura ¡muy poco rato!, aunque cuando lo ves parece que sea eterno). Lo que es importante es evitar que se dé un golpe en la cabeza si se cae, o que se muerda la lengua. Esto se puede hacer poniéndole algo blando en la boca, como un pañuelo o una cuchara de madera para que la muerda.

Los niños con epilepsia controlada con medicación pueden hacer las mismas cosas que los otros niños, sólo tienen que tener un poco más de cuidado en actividades de riesgo y, sobre todo, ¡no olvidarse de la medicación! La epilepsia no tiene nada que ver con la inteligencia o con poder llevar una vida como la de todo el mundo.

Algunas veces, sin embargo, la epilepsia aparece en los niños con parálisis cerebral o retraso mental.

DIABETES

Cuando los niveles de azúcar o glucosa –que viene a ser nuestra "gasolina", la principal fuente de energía del cuerpo, que obtenemos a través de los alimentos– de una persona son más altos en la sangre de lo que les corresponde, se dice que esa persona tiene diabetes.

Para que la glucosa pueda entrar en las células en forma de energía es preciso que la insulina la transforme (es como la llave que abre la puerta de cada célula). Si no es así, las células no pueden funcionar bien porque les falta energía.

El mal funcionamiento del páncreas (que es el órgano que genera la insulina) hace que algunos niños tengan unos niveles de glucosa muy bajos o muy altos, lo cual es un problema. Por este motivo, es preciso que se pongan insulina "extra" con inyecciones, o, en algunos casos, con pastillas.

La diabetes es una enfermedad crónica, que no se pega. Los niños que la padecen han de cuidar muy bien su alimentación, no olvidarse jamás de ponerse la insulina e ir revisando sus niveles de glucosa. Pero ¡pueden hacer las mismas cosas que todo el mundo!

8 Los apoyos

Los niños con discapacidad tienen dificultades para hacer algunas cosas. Por este motivo es necesario que tengan determinados apoyos que los ayuden a superarlas.

Con estas ayudas o apoyos se potencia el desarrollo del niño no sólo física, sino también emocional (que sea feliz, que esté contento) y socialmente (que pueda participar en todas las cosas que le ofrece su entorno).

Existen muchos tipos de apoyos: desde sofisticados aparatos ortopédicos hasta una persona que los guíe para hacer una tarea determinada. Es importante que tengas en cuenta que cada persona es diferente y que, por tanto, lo más importante es que cada niño con discapacidad reciba las ayudas que necesita en el momento y el lugar preciso: en la casa, en la escuela, en la calle, en el cine...

! Los apoyos ayudan a los niños con discapacidad a superar sus dificultades o a minimizarlas.

Hay diferentes tipos de apoyos:

APOYOS HUMANOS

Son las personas que rodean a los niños con discapacidad. En primer lugar, es necesario nombrar a los padres, que son los más importantes. Para ayudar a sus hijos muchas veces han de aprender cosas muy específicas que antes no se habían planteado (el lenguaje de los signos, por ejemplo). Como cualquier padre, el amor hacia su hijo les hará esforzarse a mejorar. Ellos le acompañarán en la superación de sus propias dificultades y se encargarán de buscarle los servicios más adecuados. Los padres son las personas más importantes en la vida de un niño con discapacidades y no siempre lo tienen fácil porque han de estar siempre muy cerca de él para saber qué es lo que necesita, y se precisa mucha energía para eso. No es raro, pues, que a menudo puedan estar tristes o sentirse cansados.

Los hermanos también son un gran estímulo.
Son las personas que siempre los tratan con más
"normalidad", sin pena: si se han de enfadar,
se enfadan; si han de reír, se ríen... Siempre están
a su lado.

Lo mismo pasa con el resto de la familia (abuelos,
tío, primos...), todas las personas que rodean al niño
con discapacidad y hacen que se sienta parte de un
entorno que lo quiere, que lo ayuda y lo respeta tal
como es.

! La familia es el principal apoyo de los
niños con discapacidad. Sentirse querido
es fundamental para crecer.

Por otro lado están los profesionales. Ya has visto
que hay muchas especialidades, desde médicos
a maestros. Además, hay otros tipos de profesionales que tratarán de potenciar al máximo las
capacidades de estos niños en aspectos más
concretos: fisioterapeutas, logopedas, ortopedis-
tas, psicólogos... ¡Todos son muy importantes!

! Padres y profesionales trabajan juntos
para que los niños con discapacidad
superen sus dificultades y potencien al máximo
sus capacidades.

APOYOS TÉCNICOS

Hemos visto también que hay aparatos concretos
que pueden ayudar a los niños con discapacidad
a llevar una vida tan normal como les sea posible:
silla de ruedas, audífonos, ordenadores adaptados...
Es muy importante que los niños tengan a su lado
estos medios en todos los aspectos de la vida
cotidiana (en casa, en la escuela...) porque le
facilitan la vida.

SERVICIOS ESPECIALIZADOS

Son especializados porque no lo cubren todo
sino sólo lo que se necesita.

Has de saber que hay niños con discapacidad
que no necesitan ir a servicios específicos, porque
tienen suficiente con una ayuda técnica o con alguna
persona que los ayude.

Pero hay otros que necesitan más ayuda de la que
normalmente se les puede dar y, por eso, tienen que
ir a servicios especializados en los que se les ayuda
más de cerca. Por ejemplo, las escuelas de educación
especial, en las que las aulas están adaptadas, hay
menos niños por clase, además de maestros hay otros
profesionales (logopedas, fisioterapeutas…) y lo que
se les enseña está pensado para sus capacidades.

Este tipo de servicios no sólo atiende a niños en
edad escolar; también funciona cuando los niños
son mayores y en todos se continúa potenciando
sus capacidades para que sean lo más autónomos
posible, es decir, que hagan el máximo de cosas
ellos solos. En el ámbito laboral, por ejemplo, hay
centros en los que las personas con discapacidad,
jóvenes y adultos, pueden trabajar según su capacidad laboral, a veces, a un ritmo más lento,
pero haciendo un trabajo que les obliga a seguir
aprendiendo cosas.

Pasa lo mismo en el ámbito de la vivienda: cuando
la persona con discapacidad se hace mayor y ya no
quiere (o no puede) vivir en su casa, puede ir a vivir
a un piso o a una residencia que compartirá con
otras personas con discapacidad. También tendrá
unos educadores que le ayudarán a desenvolverse
en casa y a aprender cosas relacionadas con el
hogar, como cocinar, ir a la compra, limpiar…

Hay, por otro lado, profesionales y centros de ocio, que se ocupan de dar apoyo a las personas con discapacidad a la hora de participar en las actividades de entretenimiento, como hace todo el mundo: ir al cine, bailar, ir de vacaciones…

! Los servicios especializados no son centros aislados, sino que existen para ayudar a los niños con discapacidad a participar en la comunidad.

Ejercicio

Puedes hacer un listado de los apoyos que necesitas en algunos momentos; por ejemplo, en la cocina puede ser que no llegues a los armarios de arriba del todo y es preciso que te subas a una escalera. O tener un diccionario, si no sabes inglés y un día visitas Londres… Piensa un poco y verás como ¡todos necesitamos ayuda en algún momento!

9 Los hermanos de los niños con discapacidad

Este capítulo está dedicado a los hermanos de los niños con discapacidad porque, a veces, se les hace difícil entender sus propias emociones y se sienten mal. ¡Es normal! Le pasa a todos los niños que tienen hermanos con discapacidad y hay diversas maneras de afrontarlo.

Todas las personas tienen sentimientos contradictorios sobre algo. Por ejemplo, los padres quieren
a sus hijos pero a veces se enfadan con ellos; nos
gusta mucho estar con nuestro mejor amigo, pero
de repente desearíamos no haberlo conocido… Eso
también pasa cuando tienes un hermano o una hermana con discapacidad: estamos muy orgullosos
cuando consigue algo que era difícil para él o para
ella, pero a veces… sentimos cosas no tan agra-
dables. No pienses que eres la única persona en
el mundo a quien le pasa esto. Sin ir más lejos, seguro que tus propios padres lo han sentido alguna
vez. Y la realidad es que todos los niños con hermanos con discapacidad tienen en algún momento
esos sentimientos tan contradictorios. Mira lo que
dice Elisa, de 8 años:

"TENER UN HERMANO CON DISCAPACIDAD ES BUENO Y MALO. BUENO PORQUE MUCHAS VECES PODEMOS ESTAR JUNTOS, REÍR Y JUGAR. PERO MALO PORQUE OTRAS VECES SE ENFADA Y SE PONE A GRITAR, O CUANDO VAMOS DE COMPRAS SE PORTA MAL Y NO ENTIENDE QUE ME HACE PASAR MUCHA VERGÜENZA".

Los niños que se ríen de las personas con discapacidad, a menudo no saben lo que es una
discapacidad, probablemente porque no conocen
a nadie que la tenga, y se ponen nerviosos, no saben
qué hacer o cómo actuar. Sólo se fijan en la diferencia.
Eso hace que, cuando tus amigos están cerca, te
avergüences de tu hermano. No sabes si ponerte
a su lado o ir con tus amigos. Es como si estuvieras
entre dos bandos sin saber cómo actuar. ¿Qué
debes hacer?
Una de las cosas que podrías hacer es explicarles que la discapacidad es sólo lo que se ve; que,
ante todo, tu hermano es un niño como ellos al que
también le gusta reír y jugar; y que hay cosas que sí
que puede hacer. Explícales, con calma y en privado,
las cosas que sabe hacer. Y diles que, cuando se
ríen o se burlan de un niño con discapacidad, te

están haciendo daño también a ti: "Quiero a mi hermano, aunque no pueda andar. Si tú te ríes de él,
haces que me sienta mal porque tú eres mi amigo".

A algunos niños les preocupa el que sus amigos
vayan por primera vez a su casa y se encuentren
con un hermano con discapacidad. Lo mejor es
que les expliques (antes de que vayan, y con toda
normalidad) lo que tiene, y lo que eso significa (no
te olvides de decirles todas las cosas que es capaz
de hacer) para que no se sorprendan.

Por otro lado, si no quieres que tu hermano te in-
terrumpa mientras estás con un amigo en tu habitación, coméntaselo a tus padres y explícaselo a
él (y no te avergüences, tienes derecho a tener tu
propio espacio, es comprensible).

"EL OTRO DÍA ME ENFADÉ MUCHO CON MI HERMANO LUIS PORQUE ENTRÓ EN MI HABITACIÓN Y SE DEDICÓ A DESHACER EL PUZZLE QUE YO ESTABA HACIENDO. YA SÉ QUE TIENE UNA DISCAPACIDAD, ¡PERO ESTOY HARTO! Y ENCIMA MI MADRE ME RIÑÓ A MÍ POR HABERLE PEGADO, ¡PERO A ÉL NO LE DIJO NI MU! Y ESO ME PUSO TODAVÍA MÁS FURIOSO".

Estar enfadado es muy normal. Todos tenemos motivos para enfadarnos alguna vez. Y es justo decir que no estamos de acuerdo con ciertas cosas… Pero hay que tener cuidado porque enfadarse puede ser peligroso, es como una bola de nieve, que si no la paramos a tiempo se hace cada vez más gorda, y al final, probablemente explotará en el momento menos esperado, de la peor manera y ¡con quien menos se lo merece!

¿Qué puedes hacer, pues, cuando estás enfadado? Primero de todo hay que detectarlo: seguro que te pones tenso, sientes como un nudo en el estómago, cierras los puños, aprietas los dientes muy fuerte… Sí. ¡Estás enfadado de verdad! Entonces párate un momento y dite a ti mismo: "¡Eh, que me estoy enfadando! Hay gente que cuenta hasta 10. Tú también puedes hacerlo mientras te alejas de la persona que te ha hecho enfadar… Después, lo mejor es que pienses un poco y veas cómo puedes

explicar lo que te acaba de pasar y tanto te ha molestado. Si no puedes decirlo, lo puedes escribir.

En resumen:
Date cuenta de cuándo te enfadas y cómo te enfadas.
Párate.
Piensa y…
Dilo, no te lo guardes dentro.

¡Pero vigila lo que dices! A menudo, cuando estamos enfadados, no medimos nuestras palabras, y hacemos daño a otros, especialmente a los que nos han hecho enfadar.
Lo más fácil es acostumbrarnos a hacerle entender al otro cómo nos sentimos cuando hace algo que nos molesta sin necesidad de insultarlo.
Seguro que ya sabes que la mejor manera de enfadarse no es rompiendo cosas o haciéndole daño a alguien.

"LA VERDAD ES QUE ME LO PASÉ MUY BIEN EN EL PARQUE DE ATRACCIONES, ¡FUE UNA TARDE FANTÁSTICA! PERO CUANDO LLEGUÉ A CASA Y ME ENCONTRÉ A MI HERMANA CRISTINA, ME SUPO MUY MAL. ELLA NO PUEDE SUBIR EN LAS ATRACCIONES PORQUE ¡SU SILLA DE RUEDAS NO CABE! CUANDO ME DOY CUENTA DE ESTAS COSAS ME PONGO TRISTE".

Es normal que sintamos culpa cuando reconocemos que hemos hecho algo que no debíamos y nos sentimos mal. Y también es útil porque este sentimiento es el que nos ayuda a mejorar.

Pero hay otro tipo de culpa que no sirve para nada y que además nos hace daño: cuando nos sentimos responsables por algo que no tiene nada que ver con nosotros, porque no hemos intervenido en ello, como… (Si repasas de nuevo el capítulo donde se explican las causas de la discapacidad, verás que en ningún apartado se habla de que los hermanos tengan algo que ver con dichas causas.)

Es importante que aprendas a reconocer que hay situaciones en las que no hay nada que puedas hacer. No te sientas mal porque tú puedas hacer cosas que tu hermano no puede hacer. Si hablas con tus padres o con alguna persona mayor, te podrán ayudar a ver la diferencia.

"A VECES, PARECE QUE MIS PADRES NO SE ACUERDAN QUE TIENEN ¡DOS HIJOS! SÓLO SE ACUERDAN DE MÍ CUANDO ESTOY ENFERMO O TENGO ALGÚN PROBLEMA… ME SIENTO COMO EL HOMBRE INVISIBLE."

Seguramente muchas veces sientes que tus padres no te hacen caso porque pasan más tiempo con tu hermano con discapacidad. Es cierto, él necesita más tiempo, pero has de saber que tú también lo necesitas y, por tanto, tienes derecho a pedírselo a tus padres.
Habla con ellos, y explícales que es importante para ti, por ejemplo, que te acompañen a los partidos de tu equipo, o que vayan contigo al cine…
Está bien que les pidas que te den una atención especial a ti también… No te preocupes, seguro que lo entenderán.

"MI MADRE INSISTE EN QUE VAYA A CASA DE MIS AMIGOS A JUGAR, PERO A MÍ ME GUSTA MÁS QUEDARME EN CASA CON DAVID, ASÍ ESTOY CON ÉL, LE HAGO COMPAÑÍA".

"CUANDO VEO QUE MIS AMIGOS SE LO PASAN BIEN EN SU CASA CON SUS HERMANOS ME DA ENVIDIA. YO MUCHAS VECES ABORREZCO A GENÍS. ¡CÓMO ME GUSTARÍA QUE ME AYUDASE A RECOGER LOS JUGUETES!"

Seguramente tu hermano con discapacidad necesita más atención, pero hay que tener en cuenta que tanto tú como el resto de miembros de tu familia también tenéis vuestras necesidades.

Si dedicas todo tu tiempo libre a tu hermano, no podrás tener amigos, practicar un deporte o pasártelo bien fuera de casa… y puede ser que algún día te sientas ¡solo y aburrido!

 Cuida de tu hermano, pero no te olvides de ti.

Seguro que hay veces que te gustaría no tener nada que ver con tu hermano. Especialmente cuando se comporta de manera extraña en un lugar público, o cuando todo el mundo lo mira.

Es importante que recuerdes que todos somos diferentes y que a veces la gente mira porque no entiende la discapacidad. Para ellos es algo nuevo, que les llama la atención.

Por otro lado, si tu hermano hace cosas que te molestan (no su aspecto), como portarse mal, puedes hablar de ello con tus padres. Puede ser que la solución sea ir a comprar sin tu hermano. Eso está bien porque tienes derecho a reclamar tu propio espacio.

Muchas veces nos sentimos mal porque no tenemos lo que queremos. Muchos hermanos desearían poder compartir las mismas cosas que los otros niños comparten con sus hermanos: juegos, secretos… pero a veces no puede ser. Eso les hace sentirse mal. Les pasa lo mismo a los padres, que, naturalmente, desearían lo mejor para sus hijos. Esta sensación aparece a menudo, pero lo mejor que podemos hacer es alejarla de nuestra mente y hablar de ello con alguien (padres, maestros, amigos…).

"CUANDO ANDREA COMENZÓ A TENER CONVULSIONES EN LA PLAYA, YO QUERÍA DESAPARECER. TODO EL MUNDO NOS MIRABA CON CARA DE SUSTO, ME SENTÍA COMO UN BICHO RARO… ¡QUÉ VERGÜENZA!"

Seguro que al tener un hermano con discapacidad, tus preocupaciones son distintas a las de tus amigos o compañeros de escuela. Cuando tienes muchas preguntas en la cabeza y no las resuelves, se convierten en preocupaciones.

En este libro hemos intentado resolver algunas de estas preguntas, pero es importante que si todavía tienes más, se las cuentes a alguien, sobre todo a tus padres, pero también puedes recurrir a otro adulto, como a un maestro, a un médico…

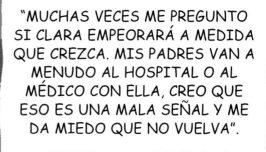

"MUCHAS VECES ME PREGUNTO SI CLARA EMPEORARÁ A MEDIDA QUE CREZCA. MIS PADRES VAN A MENUDO AL HOSPITAL O AL MÉDICO CON ELLA, CREO QUE ESO ES UNA MALA SEÑAL Y ME DA MIEDO QUE NO VUELVA".

"NO HABLO NUNCA CON MIS AMIGOS DE ALEX. NO ME ENTENDERÍAN, Y ME DA MIEDO QUE SIENTAN PENA SI LES EXPLICO QUE NO PUEDE VER".

A menudo sentirte diferente de tus amigos hace que te sientas solo. Es difícil explicarles qué significa tener un hermano con discapacidad. Eso hace que no puedas compartir con ellos ni las ilusiones, ni las alegrías, ni las preocupaciones. De nuevo, hablar con los padres o los maestros te puede ayudar. También te ayudará conocer a otros niños que tengan algún hermano con discapacidad. ¡No eres el único niño en el mundo que vive esta situación!

! Mira a tu alrededor y busca a alguien que te pueda escuchar. Te sentirás mejor cuando descubras que estas cosas nos pasan a todos.

"EL DÍA QUE MI HERMANO JOAN AGARRÓ ÉL SOLO LA CUCHARA PARA COMER... UN POCO MÁS Y HACEMOS UNA FIESTA EN CASA. ESTÁBAMOS TODOS TAN CONTENTOS, Y, A PESAR DE QUE SE ENSUCIÓ MUCHO, ¡YO ESTABA MUY ORGULLOSO DE ÉL!"

¿Sabes qué quiere decir sentirse orgulloso de alguien? Quiere decir que estás contento de estar a su lado, de que sea tu amigo… Estamos orgullosos de alguien cuando lo valoramos por lo que es, por su amistad, por lo que aporta a nuestra vida. Muchas personas se sienten orgullosas de sus hermanos (o de sus hijos) con discapacidad por el esfuerzo que estos ponen en muchas cosas, por su alegría, por cómo se emocionan, por cómo expresan sus sentimientos, por las ganas que tienen de llegar cada día un poco más lejos…

"CON EL TIEMPO, HE APRENDIDO A NO PONERME NERVIOSA CUANDO HEMOS DE SALIR DE CASA CON MI HERMANA. ¡AHORA SÉ QUE NECESITA MÁS TIEMPO QUE YO PARA ESTAR LISTA!"

"La paciencia es el arte de esperar" decía Friedrich Schleiermacher, un teólogo alemán. Muchas personas con discapacidad nos ayudan a aprenderlo, nos ayudan a esperar. Cuando tenemos delante de nosotros a alguien con una dificultad y reconocemos que necesita más tiempo que nosotros para hacer algo, se lo damos, sin ponernos nerviosos: somos pacientes. Éste es un aprendizaje que nos será muy útil en cualquier momento de la vida. Además, estamos haciendo también algo importante: aceptar a la otra persona, ponernos en su lugar y tratarla con el respeto que se merece, dándole lo que necesita: tiempo.

"LA PARÁLISIS CEREBRAL QUE TIENE MI HERMANO NO LE DEJA PRONUNCIAR BIEN LAS PALABRAS Y A VECES NO LO ENTIENDO. PERO A MENUDO ME HACE REÍR CON LO GRACIOSO QUE SE PONE CUANDO ESTÁ DE BUEN HUMOR. ES DIVERTIDO".

Somos tolerantes cuando aceptamos que alguien es diferente a nosotros, y no lo forzamos a que piense, hable o haga lo mismo que nosotros. Ser tolerante no es lo mismo que "aguantar" a alguien, "soportarlo" un rato pensando que es inferior a nosotros… sino quererlo cómo es, valorarlo. Entender que seguro que tiene algo bueno que darnos, aunque sea diferente.

"AUNQUE ANDREA TENGA PLURIDISCAPACIDAD Y NO PUEDA HABLAR, CUANDO LLEGO DE LA ESCUELA SIEMPRE LE EXPLICO LO QUE ME HA PASADO Y LE PIDO SUS JUGUETES PARA JUGAR CON ELLOS".

"ESTOY SEGURO DE QUE MARÍA ME QUIERE, AUNQUE NO ME PUEDA ABRAZAR, NI ME LO PUEDA DECIR, PORQUE MI MADRE ME CUENTA QUE, CUANDO VOY DE COLONIAS, ESTÁ INQUIETA, Y ME BUSCA… ¡ME ECHA DE MENOS!… LA VERDAD ES QUE YO TAMBIÉN LA ECHO DE MENOS".

Respetar a alguien quiere decir tenerlo en cuenta, tratarlo como a ti te gustaría que te tratasen. Si recuerdas esta frase y la pones en práctica, te será más fácil respetar a las personas que te rodean.

Las personas con discapacidad, como el resto de las personas, también son capaces de tener amor a su alrededor, tanto de recibirlo como de darlo. No hay ninguna discapacidad que invalide este sentimiento tan humano.

80

Preséntanos a tu hermano

Nos gustaría mucho que nos explicaras cómo ves a tu hermano con discapacidad, que nos lo presentes. Puedes rellenar esta ficha, recortarla (o hacer una copia) y enviárnosla a la siguiente dirección: Ediciones Serres, c/ Muntaner, 391. 08021 Barcelona. La recibiremos como un regalo.

Me llamo ....

.... y tengo .... años.

Este/a es mi hermano/a con discapacidad:

se llama ....

.... y tiene .... años.

Lo que más le gusta hacer es ....

....

....

Su discapacidad se llama ....

Esto quiere decir..

....

....

Si le tuviera que explicar al mundo qué es tener

un hermano con discapacidad, diría que:

(es bueno, regular, a veces...) ....

....

....

....

¡PUEDES HACER UN DIBUJO O,
SI QUIERES, UNA FOTO!

Índice de palabras clave

Glosario

Adaptación
Es la realización de cambios en objetos cotidianos (bañera, cucharas, sillas,...) para que las personas que tengan algún tipo de discapacidad puedan usarlos.

ADN
Siglas de ácido desoxirribonucleico. Sustancia química que contiene toda la información hereditaria. Es la materia de la que están hechos los genes, y se ocupa del funcionamiento, crecimiento y reproducción de las células.

Amputación
Corte o separación del cuerpo de un miembro o de parte de él (brazo, pie, mano, dedo, etc.) debido a un accidente o a una enfermedad. Cuando la amputación es congénita, el niño nace ya sin esa parte del cuerpo.

Apoyo
Todo lo que mantiene algo en equilibrio, lo sostiene, le asegura solidez o lo sujeta en una posición determinada. En el caso de las personas: es todo lo que les proporciona ayuda.

Barrera
Obstáculo que existe entre una cosa y otra. En el caso de las personas con discapacidad, es lo que les impide que puedan hacer lo que las demás personas hacen habitualmente. Si hay problemas de movilidad, se habla de barreras arquitectónicas; si los problemas son de oído o de habla, de barreras de comunicación.

Capacidad
Aptitud, talento... disposición que tienen las personas para hacer algo.

Cardiopatía
Enfermedad del corazón.

Célula
Unidad básica del organismo. Hay muchos tipos de células y cada uno de ellos está dotado de estructura y vida propia. Las células son las responsables de que se lleven a cabo todas las funciones necesarias para la vida: crecer, reproducirse, responder a determinados estímulos, diferenciar unos de otros, etc. La célula es de tamaño microscópico, invisible al ojo humano.

Conducta
Forma de comportamiento de las personas en diferentes situaciones.

Cromosoma
Unidad portadora de la información genética, forma parte del núcleo de la célula. Éste contiene 46 cromosomas y cada uno es una molécula de ADN, en forma de hélice, que contiene 100.000 genes.

Defecto congénito
Alteración que provoca dificultades visibles o invisibles; pueden ser evidentes en el momento del nacimiento o después.

Deficiencia
Anormalidad o pérdida total de una estructura

psicológica, fisiológica o anatómica (es la causa de la discapacidad).

Derecho
Lo que es justo, legítimo y reconocido por todo el mundo a través de las leyes.

Desarrollo
Es el proceso de evolución y formación progresiva de la persona con todo lo aprendido en los diferentes contextos. Es mucho más que el simple crecimiento físico.

Diferencia
Cualidad que distingue a una cosa de otra.

Discapacidad
Toda restricción o ausencia (debida a una deficiencia) de la capacidad de realizar una actividad, en la forma o dentro del margen que se considera normal para un ser humano.

Diversidad
Variedad, diferencia.

Emoción
Estado afectivo que consiste en una activación fisiológica breve que se manifiesta como respuesta a estímulos que alteran nuestra conducta habitual. Las emociones aparecen de repente y se marchan de repente también. Son pasajeras.

Encefalitis
Enfermedad que provoca la inflamación del encéfalo.

Enfermedad
Según la Organización Mundial de la Salud (OMS), es la pérdida, alteración o desaparición de las condiciones óptimas tanto físicas como mentales y sociales.

Factor ambiental
Factor es lo que puede provocar algo; el factor ambiental tiene su causa en el ambiente, fuera de la persona.

Factor genético
Causa genética de alguna cosa.

Feto
Embrión de los mamíferos, desde que se implanta en el útero hasta el momento del parto.

Gen
Es un segmento de ADN con una tarea específica.

Glaucoma
Enfermedad del ojo, caracterizada por el aumento de la presión dentro del globo ocular, daño en el nervio óptico y, como consecuencia, pérdida de visión.

Habilidad
Capacidad y disposición para algo.

Herencia biológica
Las características determinadas por la genética, es decir, el conjunto de caracteres físicos o biológicos (como los ojos, la nariz...) que nos transmiten nuestros padres y abuelos.

Interacción social
Acción de relacionarse unas personas con otras.

Lesión
Daño corporal causado por una herida, golpe
o enfermedad.

Médula espinal
Vía conductora de los impulsos que salen y entran
en el cerebro. También es el centro de los movimientos reflejos.

Meningitis
Enfermedad que provoca la inflamación de las meninges.

Movilidad
Capacidad de movimiento.

Normal
Lo que sirve de norma o regla de acorde con la mayoría.

Permanente
Que se mantiene en el mismo estado, sin cambio
a largo plazo.

Pigmentación
Lo que da color a la piel, al cabello, a los ojos.

Pluridiscapacidad
Más de una discapacidad.

Prótesis
Aparato o pieza destinada a sustituir parcial o totalmente
un órgano o miembro del cuerpo humano.

Respeto
Aceptación de que los otros puedan ser diferentes
a nosotros.

Salud
Según la Organización Mundial de la Salud (OMS),
estado completo de bienestar físico, mental y social
(no sólo la ausencia de enfermedad).

Sentimiento
Estado psíquico que parte de las emociones, pero
que es consciente y tiene una duración superior
a la emoción.

Síndrome
Conjunto de síntomas que caracterizan una enfermedad.

Temporal
Que pasa con el tiempo, que no es eterno.

Tolerante
Que entiende y admite que los otros puedan tener
una manera de ser y de pensar diferente
a la de él o ella.

Trastorno
Alteración profunda que afecta el buen
funcionamiento de una cosa o persona.

Tubo neural
Origen del cerebro y la médula espinal cuando
el feto comienza a desarrollarse.

Valorar
Reconocer, apreciar el valor de alguien o de algo.

Direcciones útiles de internet

CARDIOPATÍAS

España
Federación Nacional de Asociaciones de Cardiopatías Congénitas:
www.menudoscorazones.org

Asociación de Ayuda a los Afectados de Cardiopatías Infantiles de Cataluña (AACIC):
www.cardiopatiescongenites.voluntariat.org

ESPINA BÍFIDA

España
Espina Bífida e Hidrocefalia. Federación de Asociaciones: www.febhi.org

SÍNDROME DE DOWN

España
Federación Española de Instituciones para el Síndrome de Down (FEISD):
www.sindromedown.net

Latinoamérica
Chile: APARID www.aparid.cl

Argentina: Asociación Síndrome de Down- Mar del Plata:
www.angelfire.com/ar/asdemar/

Asociación Síndrome de Down República Argentina (ASDRA): www.asdra.com.ar

Perú: Sociedad Peruana de Síndrome de Down:
www.spsd.org.pe

Brasil: Fundaçao Síndrome de Down:
www.fsdown.org.br

Estados Unidos
National Down Syndrome Congress:
www.ndsccenter.org

Internacional
Canal Down21. Portal de referencia sobre el Síndrome de Down: www.down21.org

Recommended Down Syndrome Sites on the Internet:
www.ds-health.com/ds_sites.htm

SÍNDROME DE X FRÁGIL

España
Federación Española de Asociaciones del Síndrome X-Frágil: www.nova.es/xfragil

Latinoamérica
Brasil: Fundaçao Brasileira Da Sindrome do X-Fragil: www.xfragil.com.br

Uruguay: Asociación Síndrome X Frágil:
www.xfragil.org.uy

Estados Unidos
Fragile Research Foundation (FRAXA):
www.fraxa.org

The National Fragile X Foundation: www.nfxt.org

SÍNDROME DE ANGELMAN

Estados Unidos
Angelman Syndrome Portal:
www.asclepius.com

Angelman Syndrome Foundation:
www.angelman.org

Internacional
Organización Internacional Síndrome
de Angelman (IASO):
www.autismo.com/angel/iaso.htm

DISCAPACIDAD FÍSICA

España
Confederación Coordinadora Estatal de
Minusválidos Físicos de España (COCEMFE):
www.cocemfe.es

Latinoamérica
Red Iberoamericana de Entidades
de Personas con Discapacidad Física:
www.cocemfe.es/lared/

PARÁLISIS CEREBRAL

España
Confederación Española de Federaciones
y Asociaciones de Atención a las Personas
con Parálisis Cerebral y Afines (ASPACE):
www.aspace.org

Latinoamérica
Venezuela: FUNDAPROCURA:
www.fundaprocura.org

Estados Unidos
United Cerebral Palsy Association (UCPA):
www.ucpa.org

MINAS ANTIPERSONAS

España
Armas Bajo Control:
www.armessotacontrol.org

Internacional
People Against Landmines:
www.mgm.org

DISCAPACIDAD INTELECTUAL

España
Federació Catalana pro Persones amb Retard
Mental (APPS):
www.federacioapps.com

Federación Española de Organizaciones en Favor de las Personas con Discapacidad Intelectual (FEAPS): www.feaps.org

Latinoamérica
Argentina: Federación Argentina de Entidades pro Atención al Deficiente Intelectual (FENDIM): www.fendim.org.ar

Chile: Asociación Nacional del Discapacitado Mental: www.anadime.galeon.com/

Perú: Asociación Pro Desarrollo de la Persona con Discapacidad en el Perú: www.aproddis.org

Brasil: Federaçâo Nacional das APAEs- Brasil: www.apaebrasil.org.br

Estados Unidos
American Association on Mental Retardation: www.aamr.org
THE ARC: www.thearc.org

DISCAPACIDAD AUDITIVA

España
Portal de Sordos: www.parasordos.com

Confederación Estatal de Personas Sordas (CNSE): www.cnse.es

Latinoamérica
Brasil: Central de Recursos para Sordos: www.especial.futuro.usp.br

México: Adiós a la sordera: www.adiosalasordera.com
Federación Mexicana de Sordos: www.galeon.com/femesor

Argentina: Portal sobre personas sordas en Argentina: www.sitiodesordos.com.ar

Chile: Asociación Chilena de Sordos: www.asoch.cl

Venezuela: Federación Venezolana de Sordos: http://fevensor.tripod.com.ve/

Estados Unidos
National Institute on Deafness and Other Communication Disorders (NIDCD): www.nidcd.nih.gov

Internacional
Centro de recursos de sordoceguera en español: www.sordoceguera.org

DISCAPACIDAD VISUAL

España
Fundación ONCE: www.fundaciononce.es

Latinoamérica
Unión Latinoamericana de Ciegos: www.fbraille.com.uy/ulac/index-gra.htm

Fundación ONCE para América Latina:
www.foal.once.org

Argentina: Federación Argentina de Instituciones
de Ciegos y Amblíopes (FAICA): www.faica.org.ar

Costa Rica: Fundación Costarricense
para Ciegos (FUCOPCI):
www.geocities.com/Baja/3749/fuchome.htm

Ecuador: Federación Nacional de Ciegos
del Ecuador (FENCE): www.fenceec.org

Brasil: Portal del deficiente visual:
www.deficientevisual.org.br

Estados Unidos
American Council of the Blind Parents:
www.acb.org

EPILEPSIA

España
Sociedad Española de Neurología. Grupo
de estudio de epilepsia:
www.sen.es/grupos/epilepsia/index.htm

Estados Unidos
American Epilepsy Society: www.aesnet.org

AUTISMO

España
Confederación Autismo España:
www.autismo.org.es

Federación de Autismo de España. Asociación
Nuevo Horizonte: www.autismo.com

Federación Española de Padres de Autistas
(FESPAU): www.fespau.es

Latinoamérica
Venezuela: Fundación Autismo Venezuela:
www.autismo.org.ve

Estados Unidos
Autism Society of America:
www.autism-society.org

Internacional
Organización Mundial del Autismo:
www.worldautism.org

TDAH

España
Fundación Ayuda Déficit de Atención
a los Niños (ADANA):
www.f-adana.org

Asociación de niños con Síndrome de
Hiperactividad y Déficit de Atención (ANSHDA):
www.anshda.org

Latinoamérica
ARGENTINA: Fundación TDAH Argentina:
www.tdah.org.ar

Estados Unidos
Children and Adults with Attention Deficit /
Hiperactivity Disorder:
www.chadd.org

GENERALES SOBRE DISCAPACIDAD Y OTROS

España
CRECER: Asociación Nacional para Problemas
de Crecimiento: www.crecimiento.org

Necesidades Educativas Especiales en la Red
(NEED); directorio:
www.needirectorio.cprcieza.net

Buscasalud. Discapacidades:
www.buscasalud.com/bs/Discapacidades/

DISCAPNET. Discapacidad en España:
www.discapnet.es

Servicio de Información sobre Discapacidad
(SID):
http://sid.usal.es

Federación Española de Enfermedades Raras
(FEDER):
www.minoritarias.org

Latinoamérica
Venezuela: Paso a Paso:
www.pasoapaso.com.ve

Solidaridad Latinoamericana:
www.solidaridadlatinoamericana.net

Estados Unidos
National Dissemination Center for Children
with Disabilities NICHCY www.nichcy.org

Family Village: www.familyvillage.wisc.edu

Internacional
European Organisation for Rare Diseases
(EURODIS): www.eurordis.org

Inclusion Europe: www.inclusion-europe.org